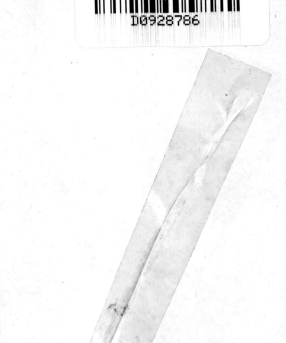

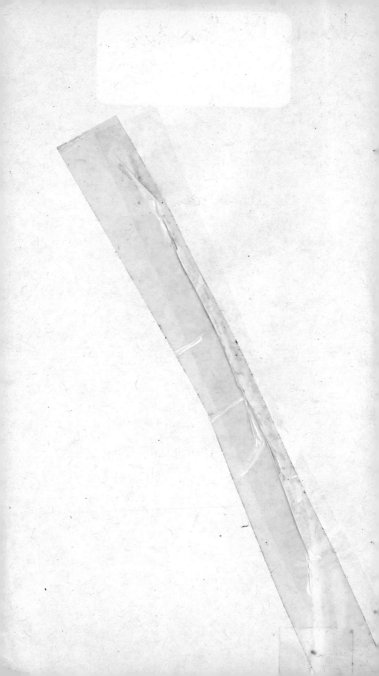

gaïg

LE JARDIN D'AFO

DYNAH PSYCHÉ

LE JARDIN D'AFO

ÉDITIONS
MICHEL
QUINTIN

Catalogage avant publication de Bibliothèque et Archives nationales du Québec et Bibliothèque et Archives Canada

Psyché, Dynah

    Gaïg

    Sommaire: 9. Le jardin d'Afo.
    Pour les jeunes de 9 ans et plus.

    ISBN 978-2-89435-470-4 (v. 9)

    I. Titre. II. Titre: Le jardin d'Afo.

PS8631.S82G33 2007   jC843'.6   C2007-941802-3
PS9631.S82G33 2007

Illustrations de la page couverture et de la page 7 : Boris Stoilov
Illustrations des cartes : Mathieu Girard
Révision linguistique : Guy Permingeat
Infographie : Marie-Ève Boisvert, Éd. Michel Quintin

Le Conseil des Arts du Canada
The Canada Council for the Arts

SODEC
Québec

Patrimoine canadien
Canadian Heritage

La publication de cet ouvrage a été réalisée grâce au soutien financier du Conseil des Arts du Canada et de la SODEC.

De plus, les Éditions Michel Quintin reconnaissent l'aide financière du gouvernement du Canada par l'entremise du Fonds du livre du Canada pour leurs activités d'édition.

Gouvernement du Québec – Programme de crédit d'impôt pour l'édition de livres – Gestion SODEC

ISBN 978-2-89435-470-4
Dépôt légal - Bibliothèque et Archives nationales du Québec, 2010
Dépôt légal - Bibliothèque et Archives Canada, 2010

© Copyright 2010

Éditions Michel Quintin
C.P. 340, Waterloo (Québec)
Canada J0E 2N0
Tél.:   450 539-3774
Téléc.: 450 539-4905
editionsmichelquintin.ca

10 - GA - 1

Imprimé au Canada

Pays de N'DÉ

Sondja

N

Mer d'Okan

Plie
Flet
Flétan
Sole
Marlin
Liche
Silure
Omble
Capelan

Archipel de Faïmano

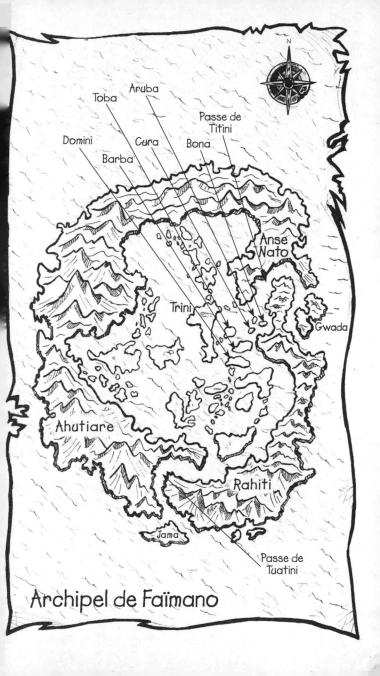

Toba

Aruba

Domini

Cura

Passe de
Titini

Barba

Bona

Anse
Nato

Gwada

Trini

Ahutiare

Rahiti

Jama

Passe de
Tuatini

Archipel de Faïmano

RÉSUMÉ DU TOME

L'ARCHIPEL DE FAÏMANO

Après bien des péripéties, Gaïg a fini par arriver dans le domaine sous-marin des Sirènes, l'archipel de Faïmano, dont les îles constituent la terre promise aux Nains par Mama Mandombé. Ne sachant toujours rien de tout ce qui concerne la prophétie, elle doit apprendre à vivre sur cette terre en compagnie de Gilliatt.

Le trouvant trop protecteur, elle le fuit, ce qui lui permet d'entrer en relation avec les Sirènes, avec qui elle sympathise. Celles-ci lui font découvrir les lieux, surtout la mer intérieure.

En revenant sur la côte, elles l'informent que trois bateaux approchent, avec des Nains à bord.

En effet, Pilaf, Flopi et Pafou se sont retrouvés à Silure avec leurs passagers nains. Dikélédi, qui a ramassé, sur le *Sibélius* de Flopi, un morceau du pantalon de Gaïg, a voulu que Pilaf l'amène sur Orfie, sûre d'y rencontrer celle-ci.

Les retrouvailles ont lieu dans la joie, malgré une attaque des Sirènes mâles au cours de laquelle Gaïg sauve Dikélédi. C'est en ramenant la jeune Naine sur la plage que Gaïg a une illumination et saisit une partie de la vérité, concernant son ascendance maternelle. Vaïmana lui révèle alors l'identité de son père, Gilliatt.

L'arrivée des Nains sur l'île est quelque peu mouvementée, mais une ultime apparition de Mama Mandombé confirme le fait qu'ils sont enfin parvenus sur la terre promise. Personne ne les en chassera.

Gaïg révèle à Gilliatt qu'elle est sa fille mais il la repousse, terrassé par la douleur causée par le souvenir d'Heïa. Heureusement, par la suite, il fait amende honorable et la reconnaît comme sa descendante.

1

Malgré l'importance des questions encore en suspens, une certaine quiétude régnait chez les Nains établis dans l'archipel de Faïmano. Ils avaient trouvé leur terre d'accueil depuis quelques années maintenant – sans doute très peu si on considérait leur nombre du point de vue de la longueur d'une vie de Nain – et ils s'étaient installés petit à petit, colonisant les îles au fur et à mesure de l'arrivée de leurs frères de N'Dé.

Les premiers occupants avaient étudié les possibilités offertes par le réseau de cavernes et les nouveaux arrivants, sans aucune contrainte de part et d'autre, avaient respecté les choix effectués par leurs prédécesseurs. Lisimbahs, Pongwas et Affés avaient investi à leur tour les zones déjà habitées par les membres de leur tribu.

Seuls les Kikongos, fidèles à leur appellation de Nains des sables, avaient ignoré les grottes et étaient demeurés sur les bords de la mer intérieure, peuplant les innombrables îlots qui parsemaient la surface de celle-ci. C'était WaNdo qui avait donné l'exemple en choisissant, dès le départ, alors que les goélettes floupes n'avaient pas encore quitté les lieux, un îlot minuscule comme habitat.

Il n'avait plus envie de se cloîtrer dans l'espace restreint d'une caverne, prétendant avoir déjà été trop longtemps enfermé au cours de sa *courte* vie… Il avait besoin de place, de grand air, de soleil et de la vue sur la mer.

Se rendant compte que ce dernier argument pouvait paraître spécieux, il avait précisé que c'était pour être sûr de ne pas se perdre. Où qu'il aille sur son îlot, il serait toujours chez lui, en sécurité. De plus, comme Mama Mandombé leur avait offert cet archipel à la géographie inhabituelle avec cette mer intérieure enserrée entre deux îles immenses et jonchée de terres minuscules, il fallait bien honorer son cadeau en peuplant l'espace disponible.

Macény, trop heureuse d'avoir retrouvé son Do, ne le lâchait plus, en ce sens qu'elle lui tenait constamment la main. Elle l'avait accompagné sans mot dire dans ce choix étonnant, à la surprise de tous ceux qui connaissaient la vivacité de ses réparties et sa promptitude à se lancer dans l'action. Et comme Kodjo tenait l'autre main de WaNdo, ils s'étaient retrouvés tous les trois sur l'îlot minuscule choisi par l'aveugle à travers la description faite par sa compagne, son fils et sa fille adoptive.

Mfuru n'avait pas rejoint ses parents parce qu'il n'y aurait pas eu assez à manger pour AtaEnsic sur cet espace restreint. Or, opter pour un îlot de taille supérieure équivalait à s'éloigner d'Ahutiare.

Macény s'était montrée déçue de «l'abandon» de sa «petite tortue chérie», mais comme Mfuru le lui avait fait remarquer, l'herbe n'aurait jamais le temps de repousser d'un endroit à l'autre, quand la Licorne aurait fini de brouter en un lieu.

— Oui, c'est vrai qu'elle est GROSSE, ton amie, avait lancé Macény, un rien dépitée, en appuyant sur le mot expressif. Elle mange BEAUCOUP!

Mfuru avait ri et remué le fer dans la plaie:

— Oui, elle est GROSSE et la vie avec elle est pleine de dangers! Mais de toute façon, tu ne seras pas seule: tu as remplacé ton fils! Tu as une fille, maintenant!

Macény avait jeté un regard rempli d'affection à Kodjo.

— Oui, certes, et je l'aime beaucoup. Mais un enfant ne remplace pas l'autre… Chaque enfant est unique !

— Je te rendrai visite chaque jour, alors, pendant les repas d'AtaEnsic. Comme ça, je pourrai rester longtemps, longtemps avec vous puisqu'elle mange BEAUCOUP !

WaNdo avait clos la discussion :

— En attendant, fils, si nous sommes sur une île, si petite soit-elle, nous aurons besoin de barques pour nous déplacer. Peut-être qu'on pourrait chercher des troncs susceptibles d'être taillés…

Et pendant que les Nains s'apprêtaient à creuser dans la montagne, la famille de Do, agrandie de sa fille adoptive, avait commencé à repérer les troncs d'arbre afin de disposer de deux pirogues pour pouvoir circuler.

Macény avait émis de nombreuses remarques sur les dimensions de l'embarcation de Mfuru, qui devait être BEAUCOUP plus grande, et aussi BEAUCOUP plus stable parce que c'était BEAUCOUP plus dangereux de se déplacer avec une passagère de cette importance.

Mfuru et AtaEnsic s'amusaient secrètement de cette jalousie maternelle.

— Et elle voudrait qu'on aille habiter avec eux ! Je ne sais pas si je tiendrais longtemps…

— Pense que c'est seulement ma taille qui l'effraie, maintenant. Mais imagine un peu si j'avais encore ma corne…

— Avec ou sans corne, tu restes ma plus belle amie, et c'est ça qui compte ! C'est avec toi que je veux jouer de la musique ! Chez nous !

La grotte choisie par Mfuru, au bord de l'eau, ouvrait directement sur une anse qui se trouvait en face de l'îlot parental.

— Nous ne serons vraiment pas loin les uns des autres, avait-il ajouté pour calmer sa mère. Je suis certain que vous m'entendrez quand je chanterai !

— Et je te répondrai avec joie, comme autrefois, au temps de la *Complainte des cœurs séparés*… avait conclu Do, ému en pensant à leurs retrouvailles sur Sondja. Mais ne t'inquiète donc pas, Fils, les choses ne sauraient aller mieux qu'elles ne vont actuellement…

— Ho ! ho ! Tout à fait d'accord ! avait enchaîné Loki, surgi brusquement et se juchant sur AtaEnsic. Et c'est bien pourquoi je demeurerai ici ! Vous direz à la p'tite Dryade que je ne repars pas avec elle. Je préfère rester avec ma Licorne favorite, moi ! Ha ! ha ! ha !

Il avait disparu aussi vite qu'il était apparu, mais c'est ainsi que s'était posé le problème de savoir qui partait et qui restait.

Mfuru, qui n'avait pas envisagé que sa belle amie puisse avoir envie de s'en aller, avait été brutalement précipité dans les abîmes du doute. Oui, bien sûr, AtaEnsic était libre, et il ne la retiendrait pas si elle émettait le désir de rejoindre ses semblables dans la forêt de N'Saï. Mais comment pourrait-il vivre sans elle? La chose lui semblant impossible, une seule solution s'imposait: la suivre, où qu'elle aille. Mais cela signifiait-il quitter son père, dont il avait été si longtemps privé et qu'il venait tout juste de retrouver? Quitter sa famille, en somme? Et tous les autres Nains?

La chose lui paraissait tout aussi impensable, même s'il savait, au fond de son cœur, qu'il ne renoncerait jamais à l'amitié, l'affection, l'amour, la complicité, la douceur que la vie lui avait apportés en introduisant AtaEnsic dans son existence.

— Ne fais pas cette tête-là! avait murmuré gentiment la Licorne. On lit ce que tu penses sur ton visage. Et le problème ne se pose pas, puisque je fais comme Loki: je reste!

Mfuru s'était immédiatement senti allégé d'un poids énorme, mais il avait insisté.

— Tu es sûre que tu ne regretteras pas? Il n'y aura pas d'autres Licornes ici, tu sais…

— Il y aura toi!

— Oui, mais moi, je ne peux pas remplacer Wakan Tanka, TsohaNoaï, et toutes les autres! Je peux venir avec toi, si tu le désires…

— Puisque je te dis que je reste…

— Et Winifrid?

— Oh, je n'ai pas besoin de l'interroger, je connais la réponse…

— Walig? Son chêne?

— Bien évidemment! Et c'est tant mieux! Je suis contente pour elle. Mais on peut le lui demander, juste pour le plaisir de vérifier une chose qui est sûre!

Ils s'étaient dirigés vers la plage de l'anse Nato, que les Nains, plutôt que d'adopter l'appellation sirénienne, avaient baptisée «plage du Débarquement».

Il y avait toujours du monde sur cette plage, qui était devenue un genre de place publique, un lieu de rassemblement où s'échangeaient les informations les plus récentes. Il est vrai que les goélettes floupes, amarrées au large, y étaient pour quelque chose… Une fois celles-ci reparties, l'anse Nato retrouverait un calme momentané, tout au moins jusqu'au retour des bateaux avec les frères de N'Dé.

Winifrid, mise au courant au sujet de la décision de Loki et d'AtaEnsic et interrogée, avait répondu très naturellement qu'elle *devait* les quitter mais qu'elle ne manquerait pas de revenir afin de prendre des nouvelles du chêne qu'elle avait planté.

— *Le fils de Walig !* avait-elle ajouté fièrement.

— J'en prendrai soin pour toi jusqu'à ton retour, avait proposé Afo, toujours d'attaque quand il s'agissait de jardiner.

— M'est avis qu'notre Afo s'prendra pour une Dryade sous peu… avait gloussé Mukutu. D'puis qu'elle a compris qu'les graines germent et donnent des plantes, on n'peut plus l'arrêter !

— Elle comprend même le sawyl, dans ces cas-là ! avait ajouté WaNguira.

Plusieurs plaisanteries s'en étaient suivies, interrompues subitement par Plifo.

— Bon, visiblement, vous gardez la Licorne et le Pookah sur votre terre, mais l'Homme, qu'est-ce qu'on en fait ? On le remporte ? Ou on le raccourcit ici même ?

— Et Txabi ? avait ajouté Pilaf en riant. On le cuit ? Miammm !

Un silence gêné avait plané sur l'assistance pendant un court instant qui avait paru durer une éternité.

Le problème avait été posé de façon un peu abrupte, certes, à la manière des Floups, qui proposaient en même temps une solution radicale. Effectivement, que faire de ces représentants de deux races, l'une honnie par les Nains pour ce qu'elle avait fait subir aux Kikongos, et l'autre pas spécialement aimée si l'on pensait en termes d'occupation des souterrains depuis les temps lointains de Sangoulé?

L'ennui, c'est qu'il y avait *les* Hommes et, pris séparément, Gilliatt, qui n'était pas n'importe quel Homme, puisqu'il était le père de Gaïg. De même qu'il y avait *les* Salamandars, et il y avait Txabi, qui n'était pas n'importe quel Salamandar non plus… Tous les deux étaient étroitement liés à l'élue de Mama Mandombé, et les rejeter équivalait à la rejeter, elle, à qui l'on devait tant!

Les Nains étaient perplexes. Devaient-ils accepter sur cette terre toute neuve, *leur* terre, créée à leur intention, un Homme et un Salamandar, devenus ennemis héréditaires? Mais comment les chasser sans chagriner Gaïg?

À la surprise générale, ce fut WaNdo, le Kikongo, celui qui avait le plus pâti de la vilenie des Hommes, l'aveugle essorillé, qui apporta la réponse.

— Il y a suffisamment de place ici pour tout le monde, je pense…

— M'est avis qu'on peut les laisser libres d'rester ou d'r'partir, avait appuyé Mukutu. D'toute façon, s'ils restent, ils s'ront seuls…

Les autres Nains avaient approuvé. Vu sous cet angle, ce serait vivable. L'Homme et le Salamandar, tant qu'ils seraient inférieurs en nombre, ne représenteraient pas une menace pour les Nains.

Nihassah, qui avait passé son bras autour de l'épaule de Gaïg, l'avait sentie se contracter puis se détendre.

— Ne sois pas aussi nerveuse, ma princesse, lui avait-elle murmuré. Tu vois bien que tout s'arrange…

Mais Plifo avait repris la parole.

— Parce que se débarrasser de l'Homme, ce n'est pas un problème pour nous… On sait parfaitement comment on fera…

— Et pour Txabi aussi ! avait insisté Pilaf en se léchant ostensiblement les lèvres, les yeux luisant d'une gourmandise exagérée.

Mais alors qu'il était évident qu'il plaisantait, ignorant sans aucun doute les détails des démêlés passés entre Nains et Salamandars, et seulement désireux de jouer les provocateurs, il semblait tout aussi évident que Plifo parlait sérieusement.

Gaïg, prête à exploser, allait intervenir, mais Nihassah l'avait retenue. WaNdo avait pris la parole.

— Puisqu'on vous dit qu'il peut rester… Il se construira un abri où il le désire. Ou bien il choisira une île, comme moi !

Gilliatt avait sauté sur l'occasion qui lui était offerte d'échapper aussi bien aux Floups qu'aux Nains.

— Je me retirerai sur un des îlots de la mer intérieure. Vous ne me verrez pas…

Gaïg s'était aussitôt rapprochée de lui, afin d'afficher sa solidarité.

— Je me renseignerai auprès des Sirènes et je t'aiderai à choisir le meilleur ! lui avait-elle chuchoté.

Puis elle s'était tue, réfléchissant. Est-ce qu'elle devrait vivre avec lui ? Généralement, les enfants vivaient avec leurs parents. Mais Nihassah ? Dans son cœur, elle lui avait accordé le titre de mère, après tout. Et aussi loin qu'elle remonte dans ses souvenirs, elle avait toujours envisagé, après avoir fui Jéhanne et Garin, de s'installer avec Nihassah. Qu'est-ce qui l'en empêcherait, maintenant ? La survenue, dans la vie de Nihassah, de Bandélé ?

Gaïg avait du mal à s'imaginer la Naine dans un rôle différent de celui auquel elle était habituée. Les autres rôles, que ce soit celui d'épouse, de mère ou de grande prêtresse, lui semblaient inconcevables. Et pourtant… La réalité se présentait néanmoins sous ces auspices-là… Il fallait bien en tenir compte. Même si, pour elle, Nihassah était toujours, quelque part dans son esprit, Zoclette.

Restait les Sirènes… Vaïmana, sa grand-mère, lui avait ouvert les bras quand elle avait été repoussée par Gilliatt, elle lui ouvrirait les portes de son domaine sous-marin, c'était sûr. Alors, en éliminant Nihassah, appelée à vivre sa propre vie, quel choix demeurait? Sa grand-mère ou son père?

Elle s'adressa à Gilliatt.

— Je ne sais pas encore où j'habiterai, mais je te rendrai visite, c'est sûr. Souvent!

Elle venait de décider qu'après tout ce qu'elle avait vécu, elle n'était plus une enfant, et qu'elle pouvait choisir elle-même l'orientation à donner à son existence, à commencer par son lieu de résidence!

2

Les premiers convois de Floups transportant les Nains du pays de N'Dé vers l'archipel de Faïmano étaient parvenus à destination sans encombre, mis à part les inévitables difficultés dues à la confrontation de deux peuples aussi différents que ces deux-là.

Boubakar, Mongo et Bélimbé avaient fait partie du premier voyage au départ de Faïmano afin d'informer les frères du pays de N'Dé que l'errance due au volcanisme était terminée : une terre les attendait dans le sud. Dikélédi avait embarqué également sur la *Bella-Bartoque*, autant pour revoir ses parents que pour accompagner Winifrid. Peut-être aussi pour rester un peu plus longtemps en compagnie de Trompe et Pilaf qu'elle affectionnait particulièrement, même sans vouloir le reconnaître…

Chez les Nains des collines, passé la première surprise, la joie et le soulagement avaient fait leur apparition, teintés d'appréhension à l'idée de l'océan à affronter.

Hormis les Kikongos présents à Koulibaly, cette masse d'eau sur laquelle ils flotteraient les impressionnait d'autant plus qu'ils n'arrivaient pas à s'imaginer la chose. Boubakar, Mongo et Bélimbé faisaient de leur mieux pour les rassurer, le fait qu'ils soient partis et revenus constituant bien la preuve que l'expédition ne comportait rien d'irréalisable. Doumyo et Mvoulou s'étaient laissé convaincre sans difficulté, séduits par les descriptions de Dikélédi. Yédo et Léké, eux, ne se tenaient plus d'impatience et passaient leur temps à interroger leur sœur.

Mais c'était sans tenir compte de l'entêtement des plus anciens, réticents à la pensée de devoir déménager une nouvelle fois.

— Et notre trésor, qu'est-ce qu'on en fait? avait demandé Gotoré, *alter ego* de Mukutu dans la mauvaise foi et la méfiance. Il va voyager, lui aussi?

Ce jour-là, Flopi, Pilaf et Pafou avaient amarré le *Sibélius*, la *Bella-Bartoque* et le *Debuci* en face des marais de Guguletu, afin de permettre aux Nains volontaires pour un premier départ de visiter les bâtiments, dans le but d'apprivoiser l'idée de la traversée.

Comme il fallait s'y attendre, même si Flopi, lui, ne s'y attendait pas, *tous* les Nains des collines de Koulibaly s'étaient déplacés pour voir les bateaux. Décidément, avait-il confié à Pilaf et Pafou, il ne comprendrait jamais la propension innée de ce peuple à se mouvoir en bande. *Un* Nain, cela n'existait pas, puisqu'il y avait toujours une multitude de frères accrochés à ses basques.

— J'espère qu'ils ne voudront pas tous embarquer en même temps! Ils sont nombreux, quand même, et il faudra plusieurs voyages…

— C'est ton *Sibélius* qui peut en prendre le plus grand nombre… avait constaté Pilaf, non sans ironie.

Puis il avait ajouté, les yeux brillant de convoitise :

— Moi, je peux leur proposer de transporter leur trésor. Pour toi les passagers, et pour moi la ferraille…

Flopi avait ri.

— Ce serait amusant, tiens! Une guerre entre Floups et Nains parce qu'un mauvais garnement aurait emporté leurs pierres…

— Mais il n'y aurait même pas de guerre, avait rétorqué Pilaf avec une fausse naïveté. Puisqu'il n'y aurait pas de survivant! On partagerait ensuite…

— Et les autres ? Ceux d'Orfie ?

— Comment veux-tu qu'ils l'apprennent ? Ceux d'Orfie, ce sont des morts-vivants, maintenant ! Qui ira les chercher dans ce coin perdu, sur cette île qui n'existe pas ? Ils n'en sortiront que pour le paradis des Nains…

Les trois capitaines s'étaient amusés à imaginer différentes situations, toutes aussi invraisemblables les unes que les autres, et quand Gotoré avait fait allusion au trésor des Nains, Pilaf avait lancé, en arborant un air conspirateur qui n'avait eu pour effet que d'inquiéter encore davantage les réfractaires à l'embarquement, un « Ne vous embêtez pas pour ça, on s'en occupera ! » lourd de sous-entendus.

Il avait fallu ensuite rassurer tout le monde, y compris ceux qui s'étaient précédemment montrés prêts à voyager et qui avaient changé d'avis.

Quand Mongo et Boubakar avaient finalement réussi à les persuader – les Kikongos, déjà convaincus, acceptaient d'être les premiers à s'en aller –, Bélimbé était arrivé avec une nouvelle qui avait semé la consternation et tout remis en question une fois de plus.

Gnahoré de souche, il avait rendu visite aux siens afin de les informer des derniers événements. Mal lui en avait pris. Il était revenu rouge de colère et tremblait de fureur contenue tandis qu'il expliquait que ses frères refusaient de partir et qu'ils ne monteraient sur aucun bateau.

Enfin, pas tous, *a priori*. Mais ceux qui avaient un pouvoir décisionnel, à savoir Abomé, leur chef, et WaNkoké, leur grand prêtre, appuyés de leurs successeurs respectifs, Mossi, fils du *Négus-de-tous-les-Nains* et Étibako, appelé à devenir WaNétibako, avaient opposé leur veto à un départ quelconque, parce que le moment semblait peu propice : les relations avec les Hommes se révélaient de plus en plus délicates, ceux-ci n'apprécieraient pas une défection naine.

Solidaires de cette décision, les courtisans habituels, présents de jour comme de nuit à la cour d'Abomé, appuyés par une bonne majorité de Gnahorés. Les autres, ceux qui auraient pu émettre des réticences, on ne leur demandait pas leur avis. Et Abomé avait voulu emprisonner Bélimbé !

Heureusement, celui-ci avait eu le temps de discuter avec quelques amis, étonnés de le retrouver vivant et en bonne santé. Il les avait rassurés sur son sort et sur celui de Fé, et avait donné des nouvelles des cinq fondateurs du *Chemin des rebelles nostalgiques*. Il avait d'ailleurs appris avec étonnement que le mouvement avait fait école : le nombre de Gnahorés abhorrant le pouvoir en place et rejetant toute notion de hiérarchie avait secrètement augmenté.

Ceux-là n'attendaient qu'une occasion pour fuir la cour d'Abomé, mais alors qu'ils auraient pu le faire et profiter de ce premier voyage pour s'esquiver, Abomé leur avait tendu un piège en invitant leurs filles et épouses au palais dès qu'il avait eu connaissance des informations délivrées par Bélimbé. Aucun choix n'avait été laissé à ces dames et demoiselles quant à une quelconque réponse négative à l'invitation et depuis, il les retenait prisonnières en son royal logis à coup de bals et de spectacles divers.

Prison dorée, certes, mais prison quand même. D'autant plus redoutable qu'elle obligeait les représentants mâles du peuple gnahoré à demeurer sur place : il était évident qu'ils ne pouvaient abandonner les leurs pour partir à l'aventure sur les mers.

Le sculpteur tremblait de rage contenue en racontant cela. Il n'avait dû son salut qu'à la complicité des filles des rebelles qui avaient favorisé son évasion en faisant semblant de jouer avec lui.

Il leur avait promis de revenir les chercher, bien sûr, mais cela demanderait un certain temps. La traversée était longue jusqu'à

Faïmano et il fallait tenir compte des aléas liés à un voyage aussi lointain. On espérait cependant que tout se passerait bien, qu'il n'y aurait pas de tempête, de vent contraire, de courant violent, de vague géante ou autre contretemps.

Les Floups, devant avitailler leurs bateaux pour le trajet, avaient laissé les Nains réfléchir entre eux et décider eux-mêmes de l'identité des premiers passagers.

Mais quand ils étaient revenus deux semaines après, la situation n'avait guère évolué. C'étaient les mêmes Nains que précédemment qui étaient prêts à embarquer, et eux seuls : les Kikongos rapatriés de Sondja qui ne craignaient pas l'eau, Doumyo, Mvoulou et leurs deux garçons, avides d'habiter ce nouveau pays découvert par Dikélédi, et Matilah, concernée par le sort de Bandélé et Nihassah. Bélimbé, repartirait, bien sûr, impatient de retrouver Afo, ainsi que Boubakar. Mongo, en tant que chef des Affés, hésitait parce qu'il n'avait pas réussi à convaincre la tribu tout entière de le suivre.

Dans cette situation, Flopi avait décrété que deux bateaux suffiraient au transport et qu'il reviendrait dans quelques années voir s'il y avait du changement. La perspective de l'attente en étant séparés des leurs avait provoqué un mouvement chez les Nains. Flopi avait alors compris que s'ils avaient pu partir au complet, ils seraient tous venus. Le secret de leur acceptation résidait dans un départ collectif.

Malheureusement, ils étaient trop nombreux pour les trois goélettes en rade, et Flopi n'avait pas envie de perdre encore du temps en allant chercher du renfort. Il commençait à trouver les Nains lents et il sentait l'énervement l'envahir.

Néanmoins, gardant son calme, il avait promis de revenir le plus vite possible et n'avait laissé qu'une demi-journée d'ultime réflexion aux hésitants pour embarquer. Il appareillerait le soir, avec ceux qui seraient à bord à ce moment-là. Libre à eux d'apporter ou non une partie de leur trésor avec eux, sachant qu'il valait mieux diviser le risque en faisant voyager séparément les pièces qui le composaient.

Finalement, au coucher du soleil, Flopi, Pafou et Pilaf avaient été prêts à prendre la mer, lourdement chargés en paquets divers, à la surprise de Flopi. Il s'était dit qu'au prochain voyage, il restreindrait le volume des objets à déménager, étonné que les Nains s'attachent autant à ces poteries pesantes, et à ces volumineux ballots de tissus.

Fisc s'était moqué ouvertement de lui, sous les rires des membres de l'équipage encore au sol, en le traitant de naïf.

— Et il se prétend pirate, notre capitaine ! À se demander où est passé son flair de jadis…

— Moi, je sais ! J'ai deviné ! était intervenu Pilaf, triomphant. C'est du butin, tout ça ! J'ai travaillé, moi, j'ai chargé la *Bella-Bartoque*. Je ne suis pas un capitaine de parade, qui passe son temps à donner des ordres…

Flopi était resté un moment décontenancé par son manque de perspicacité. Les Nains l'avaient bien eu ! Et le galapiat s'était montré plus avisé que lui ! Pour sauver la face et garder son prestige, il n'avait eu d'autre ressource que de provoquer Pilaf dans une ginga rapide et sans pitié. En quelques passes, il avait couché le jeune prétentieux dos au sol et, à califourchon sur son thorax, il le menaçait railleusement avec un poignard de chaque côté du cou. Pilaf ne pouvait pas bouger sans risquer la blessure, mais ses yeux pétillaient toujours d'une affectueuse insolence.

— Répète-le encore, que je suis un capitaine de parade, et tu verras ce qui va t'arriver, moucheron des marais !

Pilaf avait apparemment joué le jeu du pardon et des excuses, mais son regard moqueur détrompait ses dires. C'est quand Flopi avait voulu se relever, toujours en maintenant le garnement sous la menace de ses armes, qu'il avait senti les deux piqûres simultanées dans le milieu du dos, sous les côtes. Trompe, qui avait volé au secours de son frère, s'était placée sans un bruit derrière lui et le menaçait à son tour de ses deux lames acérées, le visage fendu jusqu'aux oreilles par un sourire provocateur et vainqueur.

Les Floups présents riaient de la mauvaise posture dans laquelle se trouvait Flopi mais, pour ce dernier, la situation avait changé. On sortait du domaine de la plaisanterie parce qu'il y allait de son honneur. Le capitaine du *Sibélius* ne pouvait être tenu en échec par les deux chenapans sinon son prestige en pâtirait.

En même temps qu'il appréhendait la situation, il agissait : il échappait à Trompe en effectuant une roulade avant sur le tronc même de Pilaf, toujours au sol, et exécutait immédiatement un demi-tour qui le ramenait, en garde, bien campé sur ses jambes, un poignard dans chaque main, en arrière de la tête du galapiat.

— Vas-y, gamine, attaque, maintenant ! Et toi aussi, galopin, arrête de paresser !

Mais la gamine et le galopin avaient compris : Flopi demeurait le plus fort. C'était pour cette raison qu'ils l'admiraient tant, d'ailleurs. Quelle rapidité ! Quelle présence d'esprit ! Il y avait une leçon à tirer pour eux de ce simulacre de bataille.

Trompe avait rangé ses poignards pendant que Pilaf se relevait doucement, veillant à ne pas faire un mouvement brusque qui pourrait éveiller la méfiance de Flopi. Les Floups présents riaient tout en commentant la succession rapide des golpes de part et d'autre, dans le floreïo de l'ensemble.

La florinette avait gagné, une fois de plus, ses lettres de noblesse : l'art martial développé par les Floups demeurait le meilleur, par l'ouverture qu'il laissait aux circonstances imprévues. Ce n'était pas un sport de combat fermé, avec des prises figées dans un académisme de mauvais aloi quand l'adversaire innovait. L'accent était mis sur la rapidité d'esprit qui permettait de saisir la situation en un clin d'œil et d'adapter la réponse tout en se protégeant.

Flopi, en l'occurrence, n'avait pas cherché à attaquer Trompe alors qu'il avait un ennemi potentiel sous lui. En roulant sur l'adversaire – Pilaf frottait d'ailleurs son thorax en affectant la douleur –, donc en fuyant, il s'était mis à l'abri pour mieux répondre à l'attaque.

Les Nains avaient contemplé la scène de loin, se demandant si c'était dans les habitudes de leurs hôtes de se battre entre eux. Mais un clin d'œil de Flopi les avait rassurés.

— Allez, les bagages sont en cale, au tour des passagers, maintenant !

Il avait encore fallu attendre un bon moment, le temps de consommer les adieux, mais finalement, les trois goélettes avaient pu appareiller, chargées de Nains et de joyaux.

Heureusement, les voyages suivants s'étaient mieux agencés, les Nains restant dans les collines de Koulibaly ayant eu le temps de s'habituer à l'idée du départ.

3

Au fil des ans, Flopi, Pafou et Pilaf avaient donc transporté des convois de Nains depuis le pays de N'Dé jusqu'à l'archipel de Faïmano. Les trois capitaines n'avaient jamais pu savoir à l'avance combien de passagers ils auraient. Jusqu'au dernier moment, les Nains hésitaient, pesaient le pour et le contre, évaluaient le temps qu'il leur restait à vivre pour estimer si cela valait ou non la peine de partir.

Les choses s'étaient néanmoins régularisées avec les mois et les années, et ne demeuraient plus dans les collines que quelques endurcis, en plus des Gnahorés de la côte, réfractaires à toute idée de départ en ce qui concernait les fidèles d'Abomé.

Le *Négus-de-tous-les-Nains* avait quand même été contraint de libérer les filles et les épouses « invitées » dans son palais, et les familles reconstituées s'étaient empressées de fuir le dictateur.

Le peuplement de Faïmano s'était donc effectué de façon régulière, les Nains se répartissant les terres au fur et à mesure de leur arrivée, sans problèmes majeurs.

Dès le départ, Ahutiare s'était retrouvée divisée, de manière totalement informelle, en trois parties. Alors que les Lisimbahs avaient occupé le bout est de l'île, autour de la plage du Débarquement, les Pongwas s'étaient installés dans la zone du milieu, et les Affés, arrivés en dernier – Mongo avait eu du mal à convaincre son peuple, mais il avait finalement réussi – s'étaient établis dans la pointe sud de l'île.

Les Kikongos avaient édifié des abris sur les rivages intérieurs d'Ahutiare, mais la majorité d'entre eux, séduits par le choix de WaNdo, avaient opté pour une île. Ils n'étaient pas bien nombreux, certes, mais ils ne désespéraient pas de reconstituer leur tribu, fortement décimée par les Hommes.

Thioro, au cours de son séjour dans les collines de Koulibaly, avait noué une intrigue amoureuse avec Toriki, grand ami de Bandélé chez les Lisimbahs. Toujours raisonnable, se sentant encore plus responsable des Kikongos depuis qu'ils l'avaient élue chef, elle avait un peu hésité, au début, à laisser s'épanouir son penchant pour ce jeune Nain costaud et désintéressé, prêt à lui rendre service ou simplement à discuter avec elle. Il l'avait convaincue en suggérant que fonder un foyer était un bon exemple à donner à ses sœurs, que c'était un acte optimiste qui montrait sa foi dans l'avenir et que, si elle se dépêchait, leurs enfants à venir seraient fiers d'être les premiers Kikongos nés libres sur la terre de Mama Mandombé. Thioro avait cédé assez vite, poussée par ses sentiments et, ajoutait-elle en riant mais sans y croire vraiment, par la nécessité.

Gombo, elle, s'était laissé séduire par Kikuyu et son chapeau à larges bords qui, prétendait-il depuis toujours, lui donnait l'air d'un « monsieur ». Si, dans les cavernes, il n'avait pas d'autre raison que l'élégance supposée de son couvre-chef pour l'arborer, dans les collines de Koulibaly, et maintenant dans l'île, il n'avait de cesse de justifier le port de sa coiffure par l'ardeur du soleil. Quand tous les Nains se protégeaient de ses rayons en recherchant une ombre salvatrice, Kikuyu était le seul à demeurer au milieu de l'espace dénudé abandonné par ses frères, protégé du feu céleste par son chapeau. Il avait chaud, bien sûr, et il transpirait, mais quelle importance ? Après des années et des années de moqueries amicales de la part des siens, il pouvait enfin leur démontrer l'utilité de son attribut vestimentaire. Il est vrai que les Nains vivaient beaucoup moins dans leurs grottes depuis qu'ils avaient une terre à eux, sur laquelle ils ne risquaient pas de faire de mauvaises rencontres.

Les deux couples, Thioro et Toriki, Gombo et Kikuyu, avaient choisi d'habiter la même île, assez grande, baptisée Trini par les Sirènes.

Diko et Adjo avaient jeté leur dévolu sur, respectivement, Jaro et Dofi, qui vivaient dans la partie de l'île investie par leurs frères lisimbahs. C'était encore la période bénie de la séduction et leur union n'avait rien d'officiel.

Cependant, pour demeurer plus près de leurs futurs compagnons, elles avaient abandonné l'idée de s'installer sur un îlot et étaient demeurées sur la côte d'Ahutiare, au pied de la montagne où vivait leur amoureux.

Les hommes de la tribu des Kikongos s'étaient disséminés sur les îlots intérieurs, attirés par la plage de sable aurifère qui les environnait de toute part. Ils étaient moins pressés de prendre femme puisque de toute façon, la filiation kikongo ne pouvait s'effectuer que par la mère. Le fait qu'ils enfantent ou non n'influencerait pas l'augmentation de leur tribu.

Néanmoins, Kabongolo avait invité Tchitala à partager son îlet et Tiyoko avait offert la même chose à Bayé. Les deux Naines avaient accepté sans trop se faire prier, à croire qu'elles n'attendaient que ça.

— Au train où ça va, m'est avis qu'ces îles n'mettront pas longtemps à être surpeuplées! avait prédit Mukutu, goguenard.

— Tu es encore en âge de faire pareil, vieux frère! avait répondu Babah. Nihassah est grande, maintenant! Elle aussi, elle a choisi son compagnon.

Le visage du chef des Lisimbahs s'était assombri aussitôt. Personne n'avait jamais remplacé Batuuli dans son cœur et évoquer la mère décédée de Nihassah équivalait à rouvrir une blessure mal cicatrisée. Babah le savait, mais il insistait, estimant sans doute que, sa fille volant de ses propres ailes, il était temps pour son ami d'avancer.

— Notre vie, c'est aussi ce que nous décidons d'en faire. Il n'est dit nulle part que le Nain est né pour rester malheureux toute son existence.

À sa grande surprise, Mukutu, au lieu de s'éloigner, rageur et maugréant comme il le faisait habituellement en pareilles circonstances et opposant ainsi une fin de non-recevoir à tout échange, avait émis un « Je sais » songeur. Babah, ne se sentant pas repoussé, avait persisté, moqueur:

— Personne ne te demande de faire des enfants, à un âge si avancé… Mais accepter une compagne pour le temps qu'il te reste à vivre sur cette île, c'est faisable !

— Je sais ! avait répété Mukutu.

— Alors, si tu es d'accord, qui ?

Les choses se précisant, Mukutu s'était rebiffé.

— Et toi-même, vieux frère ? M'est avis qu'avant d'coller les autres ensemble, tu d'vrais avouer avec quelle Naine il t'plairait d'dormir la nuit…

À sa grande surprise, Babah avait ri, le regard pétillant. Son attitude ne laissait planer aucun doute sur ses arrière-pensées. Mukutu, intrigué, revoyait en pensée les derniers jours, étudiant les occupations de son ami pour deviner vers qui se portait son attention. Mais il avait beau repasser dans sa tête l'emploi du temps récent de Babah, il n'y avait pas l'ombre d'une figure féminine dans celui-ci.

Remontant plus loin dans le passé, Mukutu avait passé en revue les dernières années sur l'archipel, si riches en événements divers. Mais il ne trouvait pas de dame de cœur pour Babah. Une vie simple, réglée, dans une caverne commune qu'ils partageaient, agrémentée de plaisirs en plein air qu'il qualifiait de « sains ».

Ils étaient présentement en train d'attendre, un gobelet précieux empli d'un liquide non moins précieux à la main, l'ultime convoi de Nains en provenance de N'Dé. Les goélettes ne devraient pas tarder à apparaître à l'horizon, et hormis les Gnahorés qui avaient refusé de venir, tous les enfants de Mama Mandombé se trouveraient, si tout se passait bien, réunis sur cette terre toute neuve d'ici quelques jours.

Babah et Mukutu jouaient les sentinelles face à la mer, sirotant leur boisson en espérant distinguer une voile au loin. Mais l'attente pouvait durer encore une bonne semaine… Et comme Babah continuait à sourire sans raison, Mukutu se surprit à remonter le temps, en quête de celle qui éclairait ainsi le visage de son plus vieux camarade.

* * *

Toutes ces années… L'installation dans les îles, l'arrivée des frères, un *modus vivendi* qui s'établissait petit à petit, accompagné d'une certaine douceur de vivre sous le soleil, en plein air…

En effet, Afo était devenue leur amie à tous les deux. Ils prétendaient avoir découvert les charmes du jardinage grâce à elle, et ils la soutenaient vivement dans toutes ses recherches botaniques, allant même jusqu'à parcourir la plus grande des terres en sa compagnie, en quête de nouvelles espèces. Du coup, ils passaient de moins en moins de temps dans les grottes.

En réalité, bien que prodigues en encouragements divers, ils ne jardinaient guère. Leur intérêt pour le monde végétal était purement gustatif et, de surcroît, principalement orienté vers les liquides. Afo plantait, Afo cultivait et Afo récoltait sous l'œil vigilant des deux compères qui, parfois, donnaient un coup de main pour transporter les choses trop lourdes.

Ensuite, Afo cuisinait et ils testaient. Ils s'étaient autoproclamés «goûteurs attitrés de la meilleure Naine de tous les Nains» et n'auraient cédé leur place à quiconque pour tout le Nyanga de l'Univers. D'autant plus que, quelquefois, Afo expérimentait.

Dans ces cas-là, Babah et Mukutu, attentifs à la préparation, notaient tout dans leur mémoire, afin de pouvoir se souvenir des différents ingrédients si le résultat s'avérait digne des attentes et susceptible de passer à la postérité.

Mais là où ils donnaient le meilleur d'eux-mêmes, se concentrant sur l'opération qui requérait toute leur attention, c'était quand il s'agissait de déguster ce qu'ils dénommaient «les liquides d'Afo». Les soupes, certes, les jus de fruits, les sirops, les tisanes, thés, infusions et décoctions, mais, surtout, les préparations fermentées. Ils savouraient à petites lampées lentes et soyeuses les différentes boissons obtenues après fermentation des jus de fruits, faisant bruyamment claquer leur langue après chaque gorgée pour montrer leur contentement. Ils affirmaient que les boissons d'Afo constituaient un excellent remède contre la neurasthénie et tous les maux voisins ou lointains de celle-ci.

À les voir sourire béatement après avoir siroté ces liquides plus ou moins ambrés, on ne pouvait faire moins que les croire. Le problème, c'était qu'ils ne partageaient pas volontiers lesdites boissons. Bien que les vantant, ils prétendaient ne pas les laisser goûter par d'autres.

Plus d'un Nain s'était déjà présenté à Afo, désireux de tester la préparation lui aussi. Mais il s'était fait éconduire par les deux amis, sous de fallacieux prétextes d'empoisonnement, d'accoutumance, de pertes de mémoire et autres inventions en parfaite contradiction avec leurs dires précédents, destinées à dégoûter l'expérimentateur importun de poursuivre plus loin ses investigations. Néanmoins, Afo trouvait toujours moyen de glisser un flacon au demandeur, sous l'œil réprobateur de ses *goûteurs attitrés* qui se transformaient alors en gardes.

— M'est avis qu'c'est dang'reux, c'qu'tu fais là, Dame Afo, prévenait Mukutu. Parc'qu's'ils y prennent goût, ils vont rev'nir.

— Oui, ils feront comme vous, quoi, répondait Afo en riant. Et je ne pourrai plus m'en débarrasser…

— M'est avis qu'ça deviendra très fatigant pour toi, si tu dois approvisionner tous ces Nains ! Pour nous, c'est différent !

— Les fruits sont meilleurs sur cette île, expliquait Babah. Donc leur jus est meilleur ! Mais il faut les cultiver, et ça demande de l'énergie. C'est pourquoi on devrait éviter le gaspillage…

La Naine les considérait un moment en riant, contemplait les récipients aux formes diverses alignés sur des étagères de sa caverne, puis revenait à ses plantations, l'œil rempli de contentement. Certes, cela représentait beaucoup de travail. Mais quel plaisir, ensuite !

4

Afo regardait ses jardins en terrasses, juste devant l'entrée de sa grotte. Il y avait plusieurs années de labeur, dans ces minuscules surfaces planes qui s'étalaient à flanc de coteau, retenues par des pierres. Et encore, elle pouvait s'estimer heureuse, elle n'avait pas eu besoin d'aller chercher les pierres très loin… Les Nains creusaient, Bélimbé creusait aussi pour agrandir la caverne, y créant plusieurs pièces séparées par des parois épaisses qu'il se promettait de sculpter ultérieurement, et Afo récupérait les pierres pour en faire de petits murs de soutènement. Elle remplissait de terre les espaces ainsi obtenus et, en l'espace de quelques années, elle avait complètement modifié l'aspect extérieur du flanc de la montagne qui abritait sa demeure.

Au début, il y avait eu quelques frictions avec Bélimbé, certes. Comme il y en a dans tous les couples qui s'installent ensemble, avait commenté Keyah, compatissante, sans pour autant partager le même dilemme avec Fé.

Il est vrai que Keyah, plus docile de nature que sa jumelle, ne partageait pas non plus sa passion pour les plantes. Elle n'avait pas contraint Fé à s'établir dans une caverne donnant sur la mer intérieure pour éviter que ses plantations soient visibles de la mer. Ce qui avait été le cas d'Afo…

Alors que Bélimbé, épris de vastes horizons, désirait contempler le grand large pour trouver l'inspiration, Afo, elle, avait étudié le terrain, le sol, et opté pour le versant intérieur de l'île, plus humide et protégé des vents.

Bélimbé avait insisté, avançant différents arguments pour la convaincre, mais Afo, bien décidée à se lancer dans l'agriculture, n'avait pas cédé.

À ses yeux, le paysage de la mer intérieure, avec ses multiples îles, valait mieux que celui de la mer d'Okan, vide et nu. Pour Bélimbé, le vide favorisait la création et il assurait se sentir étouffé par la végétation luxuriante des flancs intérieurs de la montagne.

En réalité, chacun exagérait afin de voir son point de vue l'emporter. Finalement, Keyah et Fé étaient intervenus dans la dissension. Ils avaient suggéré de creuser, depuis la grotte choisie par Afo, une galerie qui irait dans la direction opposée, c'est-à-dire vers la mer. Il suffisait de l'évaser à son bout en une vaste pièce qui constituerait l'atelier de Bélimbé. De plus, cet atelier jouxtant la caverne de Keyah, Afo pourrait facilement rendre visite à sa sœur.

Cette proposition avait reçu l'approbation des opposants et avait éteint le brasier couvant sous cette union toute neuve.

* * *

En effet, plusieurs unions s'étaient affirmées de façon officielle chez les Lisimbahs aussi, tandis que soufflait un vent d'individualisme qui poussait les jeunes couples à s'installer dans des demeures séparées de la communauté.

Alors qu'à Sangoulé, dans les monts d'Oko, dans les pitons de Wassango-Kilolo et dans les cavernes de Koulibaly, les Nains avaient vécu pendant plusieurs siècles entassés les uns sur les autres, certaines familles faisaient maintenant preuve d'individualisme en voulant avoir leur chez-soi. L'espace disponible sur l'île y était sans doute pour quelque chose, de même que la multitude de «petites» grottes qui trouaient les deux îles. Ahutiare, la plus grande, leur semblait immense, mais puisque c'était *leur* terre, le cadeau de Mama Mandombé aux siens, ils étaient bien décidés à l'occuper en entier. D'où cet éparpillement sur l'archipel et ce mode de vie séparé, nouveau pour eux.

Tous n'avaient pas suivi le mouvement, bien sûr, et les anciens avaient gardé le régime communautaire traditionnel.

Mais les jeunes couples comme Afo et Bélimbé, Fé et Keyah, Nihassah et Bandélé, qui avaient célébré leur union sur l'île, s'étaient installés séparément dans une des multiples cavernes disponibles.

De toute façon, l'isolement était facilement rompu grâce aux galeries qui se creusaient à la vitesse de l'éclair pour relier entre elles deux cavités isolées, sans compter les sentiers extérieurs qui se dessinaient tout aussi rapidement, suite au piétinement de ceux qui les empruntaient.

Afo avait donc obtenu gain de cause quant au choix de la grotte destinée à abriter ses amours avec Bélimbé et, pour lui prouver sa bonne volonté, elle l'avait vaillamment aidé dans la percée du tunnel conduisant à la pièce qui lui servirait d'atelier. Il fouillait et excavait avec ardeur pendant qu'elle transportait les gravats à l'extérieur.

En réalité, elle établissait les fondations de ce qui serait son futur jardin. Triant à toute vitesse les gravats, elle empilait roches et cailloux pour former des murets séparateurs. Ensuite, elle déversait des seaux de terre dans l'espace ainsi ménagé, sans prendre la peine d'arracher les plantes, le temps lui manquant dans l'immédiat.

Quand le tunnel avait été percé, ses premières parcelles étaient déjà délimitées. Restaient quelques finitions à réaliser en matière d'essartage et de désherbage, mais le gros du travail était fait. Secrètement fière de son efficacité, elle aurait aimé montrer son œuvre à Gargamel, qui lui avait expliqué la technique des jardins en terrasses lors de son séjour à Silure.

Par la suite, elle s'était étalée et avait disséminé ses jardins en plusieurs endroits. Des cultures différentes impliquaient des exigences différentes en matière de sol, d'ensoleillement, d'arrosage et Afo avait été l'une des premières à se déplacer sur l'île, en quête des meilleurs espaces. Au début, Pavlov l'avait guidée et conseillée, usant de ses souvenirs de naufragé pour s'y retrouver.

Certaines parties de l'île demeuraient encore inexplorées, mais le peuplement croissant d'Ahutiare favorisait le développement de voies de communication pas toujours souterraines, qu'Afo parcourait allègrement.

Les Nains apprenaient la vie au grand air et les sentiers se multipliaient. Babah et Mukutu, en tant que *goûteurs attitrés*, se faisaient un plaisir d'accompagner *La-meilleure-Naine-de-tous-les-Nains*, en profitant pour porter les nouvelles d'un point à un autre. Ils faisaient office de messagers, acceptant non seulement les messages oraux mais aussi les paquets, à condition que ceux-ci ne pèsent pas trop.

Cette vie qu'ils qualifiaient d'aventureuse, bien qu'il n'y eût aucun danger, simplement pour se donner de l'importance, leur convenait parfaitement et ils abandonnaient de plus en plus fréquemment leurs chers souterrains pour évoluer à l'air libre, emboîtant le pas à Afo chaque fois qu'elle se lançait dans ce qu'elle appelait ses « voyages de découverte ».

* * *

Pourtant, les principales découvertes avaient été faites. Afo avait parcouru Ahutiare en long et en large avec ses deux compagnons et… Pavlov! Pavlov qui ne perdait pas une occasion de redécouvrir *son* île et qui émettait un commentaire sur tout ce qu'il voyait, au grand dam de Mukutu.

— M'est avis qu'il pourrait parfois s'taire, l'vieux Floup ! maugréait-il à l'intention de Babah. Puisqu'il a tout vu et qu'il connaît tout, pourquoi vient-il avec nous ?

— Pour te tenir compagnie, Gnafrongrognongnongnon ! susurrait ironiquement Babah, qui ne craignait pas de remuer le fer dans la plaie. Tu vois bien qu'il t'écoute et te fait répéter tout ce que tu dis…

Mukutu avait émis un grognement d'ursidé irrité, refusant d'entrer dans le jeu de Babah. S'il l'écoutait encore, l'énervement le gagnerait, tant il était vrai que Pavlov lui faisait tout répéter. Mais alors que le chef des Lisimbahs se plaignait de la surdité du « Floup vieillissant, en état de décrépitude avancée pour c'qui concernait l'ouïe », Pavlov, lui, estimait que le Nain maugréait et bougonnait plus qu'il ne parlait, sans se donner la peine d'articuler les mots et les syllabes.

Mais faire la sourde oreille sans tenir compte des dires de Mukutu représentait, pour Pavlov, un manque de respect, et il se forçait, par pure politesse, à demander à celui-ci de répéter ce qu'il avait dit.

Avant de partir en voyage de découverte avec Afo et Babah, Mukutu essayait régulièrement de déjouer la vigilance de Pavlov pour s'esquiver sans lui. Mais les deux autres n'étaient pas d'accord et allaient chercher le Floup.

À plusieurs reprises, Mukutu, sachant qu'un voyage se préparait, avait tenté d'éloigner Pavlov. Il prétendait que Flopi le demandait sur sa goélette, que Nihassah avait besoin de son expérience en matière de plantes guérisseuses, que Mfuru aimerait bien qu'il l'aide à creuser un tronc d'arbre pour réaliser une barque, et autres prétextes tous aussi fallacieux les uns que les autres.

Immanquablement, Pavlov les rattrapait sur le chemin et expliquait, un peu essoufflé, à Mukutu, qu'il avait dû mal comprendre et que les intéressés n'avaient pas besoin de ses services. Le Nain grognait une insulte inventée avec des mots de baalââ et le Floup était de plus en plus convaincu qu'en sus de son élocution défectueuse, Mukutu présentait des problèmes d'audition et de compréhension.

À la fin, le grand chef, lassé, avait choisi de se taire en présence du Floup, attitude qui amusait fort Afo et Babah, sachant l'effort que cela représentait pour lui. Ils n'éprouvaient pas les mêmes réticences envers Pavlov, d'autant plus que ses conseils avaient été précieux quand Afo avait voulu construire une barque pour se déplacer d'île en île.

En effet, les Kikongos s'installant dans les îlots de la mer intérieure, l'industrie navale avait connu un brusque développement. Le besoin de se rendre visite d'une terre à l'autre avait rendu nécessaire la fabrication de barques de plus en plus élaborées.

Les Kikongos se transformaient en marins, pour ne pas dire en navigateurs, et ils avaient déjà exploré toutes les côtes de la mer intérieure. Certains, parmi les plus hardis, avaient osé se risquer à l'extérieur en empruntant les passes de Titini et de Tuatini et un jour viendrait peut-être où ils rivaliseraient avec les Floups en matière de navigation.

Mais ils n'en étaient pas encore là, se contentant de faire le tour des deux îles, de pénétrer dans toutes les baies et les anses qu'ils trouvaient, ou de remonter les cours d'eau le plus loin possible. Certains avaient même prétendu avoir aperçu des Sirènes se reposant dans les fleuves…

Afo avait donc désiré une barque, elle aussi, et Pavlov s'était montré d'un précieux secours dans la fabrication de celle-ci. Il avait donné beaucoup d'ordres à Babah et Mukutu, avait enrôlé Bélimbé, Fé et Keyah, tout cela pour un brillant résultat.

Construire un bateau demeurait un rêve latent chez tout Floup digne de ce nom et

Pavlov ne faisait pas exception à la règle, même si l'embarcation était, somme toute, assez simple. Il avait éprouvé un plaisir évident à toutes les étapes de la fabrication : choisir le bois, tailler les planches, les polir, les assembler – il était hors de question de se contenter d'un « récipient » creusé dans un tronc –, vérifier l'étanchéité, la stabilité, la flottaison, la mobilité et, pour finir, baptiser l'embarcation…

Ravissement suprême, tous les ouvriers, d'un commun accord, avaient offert d'appeler le *bâtiment* Pavlov.

Le fait est que l'embarcation était de loin la meilleure de toutes celles déjà fabriquées dans l'archipel. Tous les Kikongos avaient alors défilé pour l'étudier sous toutes ses faces et discuter avec Pavlov qui ne refusait pas de donner des conseils. Il ne manquait jamais d'aller jeter un coup d'œil à la barque du consultant, l'examinait rapidement et émettait les suggestions susceptibles de l'améliorer.

La vie s'écoulait ainsi, relativement sereine pour les Nains, ponctuée par les départs et les arrivées des goélettes de Flopi, Pilaf et Pafou.

5

Généralement, l'effervescence de l'arrivée durait quelques jours, le temps des retrouvailles. On se saluait, on s'embrassait, on se congratulait, d'autres Nains arrivaient de régions plus éloignées, puis d'autres encore. La plage de l'anse Nato méritait plus que jamais son appellation de plage du Débarquement, puisque c'était toujours là que le *Sibélius*, le *Debuci* et la *Bella-Bartoque* jetaient l'ancre.

Au bout d'un moment, inévitablement, un des nouveaux arrivants demandait des nouvelles des absents. Où se trouvaient Ahibo, Édé, Lumbalah, Sialé et Amélé? Pourquoi n'étaient-ils pas là? Il y avait Fé et Bélimbé, certes, mais les autres? Les fondateurs du *Chemin des rebelles nostalgiques*?

Les Nains présents expliquaient alors, avec force circonvolutions oratoires, que les enfants de Mama Mandombé n'avaient pas tous rejoint le cercle de la nanitude. Oui, bien sûr, il y avait encore des Gnahorés à Shango et Bamako, tout le monde le savait, mais il ne s'agissait pas d'eux. Fé et Bélimbé exceptés, les Gnahorés de Faïmano, lassés de l'ordre établi depuis des millénaires, avaient fait dissidence.

On avait tout essayé pour empêcher cela, bien sûr. Mais comment avancer quand toute décision était systématiquement contrecarrée? La situation était très simple: Lumbalah, Ahibo, Édé, Amélé et Sialé s'opposaient à tout. Mais vraiment à tout. Ils repoussaient toutes les suggestions, tous les conseils, toutes les décisions: tout ce qui pouvait ressembler à de l'autorité, de près ou de loin.

La moindre phrase émise devant eux était soigneusement analysée avant que son contenu soit remis en question. Tout était vécu comme un ordre reçu d'en haut et ils refusaient de s'y plier, même quand le bon sens l'exigeait.

Mukutu avait essayé de leur parler mais la discussion avait vite tourné à l'orage. On avait laissé la parole à WaNguira, puis à WaNdo, qui n'avaient pas obtenu davantage de succès. Tout ce qui émanait de la hiérarchie leur paraissait insupportable. Ils n'avaient d'ordre à recevoir de quiconque et estimaient que la nanitude s'en sortirait bien mieux si elle abolissait les notions de chef de tribu et de grand prêtre.

On avait alors délégué des *égaux*, même si le terme avait semblé bizarre aux autres Nains, qui n'avaient jamais envisagé que le chef de tribu, élu, fût un être supérieur. De même pour le grand prêtre, détenteur d'un savoir, certes, mais tributaire de la sagesse et de la raison, et donc incapable de nuire aux siens. Idée émise par Nihassah mais immédiatement repoussée par les cinq fondateurs, puisque justement, WaNkoké, le grand prêtre des Gnahorés, avait abusé de son pouvoir pour entraîner son peuple dans le sillage de l'Abominable Abomé.

En rejetant la hiérarchie, les fondateurs du *Chemin des rebelles nostalgiques* défendaient la notion de responsabilité individuelle, conduisant à une liberté tout aussi individuelle, pour le bonheur de tous et de chacun. Comme les Nains présents ne se sentaient nullement entravés dans leurs faits, gestes et paroles, ils s'épuisaient à expliquer aux cinq Gnahorés que l'épisode Abomé était maintenant clos et qu'ils pouvaient se laisser aller au mode de vie traditionnel.

Mais comme ceux-ci le faisaient remarquer, il ne pouvait pas être question de tradition alors que leur tribu brillait justement par son absence : le chef et le grand prêtre étaient bien trop occupés à parader sur de hauts talons chez les Hommes. Où se trouvait la tradition, de cette situation? Devaient-ils abandonner leur état de Gnahoré pour se faire adopter par une autre tribu, avec le risque que le chef de cette tribu, devenu mégalomane à son tour, impose les mêmes singeries à son peuple?

Comprenant le traumatisme subi à cause de l'aveuglement d'Abomé et de WaNkoké, Lisimbahs, Pongwas, Affés et Kikongos avaient renoncé à toute idée de les persuader, tout au moins dans l'immédiat.

— M'est avis qu'ça finira par leur passer, aux Gnas… avait conclu Mukutu, un tantinet vexé de ne pas être reconnu comme chef et donc, plus que jamais, antiGnas…

— Il faut leur laisser du temps, c'est tout, avait sagement émis WaNguira. Ils finiront par nous revenir, à la longue…

Mais l'atmosphère générale se dégradait, personne ne se sentait à l'aise pour s'exprimer, de crainte d'être remis en question ou, pire, d'être traité de *dictateur*. Finalement, quand les fondateurs du *Chemin des rebelles nostalgiques* avaient proposé de se retirer sur Rahiti, l'autre grande île de l'archipel, pour y fonder une colonie nouvelle et politiquement saine, de leur point de vue, personne ne s'y était opposé. En réalité, tout le monde avait été soulagé.

Ces cinq-là n'étaient pas heureux au sein du système traditionnel et ils entraînaient les autres dans leur malheur. Puisqu'ils prétendaient former une société encore plus égalitaire que celle existant déjà, on les laisserait faire. Sur Rahiti. Et on verrait combien de temps ils tiendraient.

Édé, Ahibo, Lumbalah, Sialé et Amélé s'étaient donc installés sur la plus petite des deux îles entourant la mer intérieure, et on n'entendait guère parler d'eux. Étaient-ils plus heureux que les autres, on n'en savait finalement rien.

Fé et Bélimbé avaient eu envie d'aller vivre quelque temps sur Rahiti, juste pour voir, mais leurs compagnes s'y étaient opposées. Keyah ne tenait pas à prendre de risque avec ces idées nouvelles et Afo, bien que plus aventureuse, affirmait ne pas pouvoir abandonner ses plantations.

Ce qui avait permis aux deux amis de conclure, fort justement, qu'ils n'étaient pas si libres que ça. Mais que l'entrave ne venait pas obligatoirement du pouvoir en place puisque c'étaient leurs compagnes, librement choisies et chéries de surcroît, qui les maintenaient prisonniers.

Vexées, les jumelles avaient fait machine arrière, allant jusqu'à leur préparer un imposant paquetage, à croire qu'ils partaient pour un long séjour, avant de les déposer sur Rahiti dans la barque d'Afo. Quand ils voudraient revenir, ils n'auraient qu'à attendre sur la plage qu'une autre barque les aperçoive et accepte de les embarquer pour les ramener au domicile conjugal. En tout cas, il ne fallait point compter sur elles pour venir les chercher, Afo refusant dorénavant de naviguer dans ces eaux-là.

L'exil n'avait guère duré: deux semaines, le temps d'explorer l'île, et les deux Gnahorés avaient éprouvé le désir de retrouver leurs compagnes! La rébellion, c'est une occupation de solitaires, avaient-ils conclu. Il est très dur de faire la révolution quand on a envie de fonder une famille et que celle-ci ne veut pas suivre.

L'affaire en était restée là, noyée, comme toujours chez les Nains, sous des quolibets et des moqueries teintés d'affection, jusqu'à ce que les goélettes arrivent, porteuses des premiers Gnahorés qui avaient fui Abomé dès qu'il avait eu libéré femmes et enfants.

On leur avait fait fête, on leur avait souhaité la bienvenue et on leur avait proposé de s'installer là où ils le désiraient: ce n'était pas la place qui manquait.

À l'étonnement général, ils avaient choisi de rejoindre leurs cinq frères sur Rahiti. Ensuite, deux ou trois convois de goélettes s'étaient succédé, suivant le même schéma. Les nouveaux arrivants gnahorés accompagnaient les anciens, solidaires dans le rejet du pouvoir. L'ordre sans la hiérarchie, tel était leur *credo*.

Les autres Nains, bien qu'un peu perplexes, se disaient que le partage de Faïmano s'était opéré tout seul. Après tout, il n'y avait aucune raison pour qu'ils s'agglutinent sur Ahutiare, et la dissémination ne pouvait être mauvaise. Les vastes espaces diminuaient l'agressivité et c'était rendre hommage à Mama Mandombé que d'occuper en entier le territoire offert. Aucune loi n'avait jamais été édictée préconisant une vie les uns sur les autres, même si à Sangoulé les cinq tribus avaient habité ensemble.

Le Premier Exode les avait séparés, ils s'étaient établis dans les monts d'Oko, les pitons de Wassango-Kilolo et les collines de Koulibaly pendant plus d'un siècle. Or la nanitude dans son ensemble avait survécu à cet éclatement, si on écartait les dernières frasques d'Abomé.

De toute façon, il valait mieux prévoir d'ores et déjà une terre d'accueil pour ce dernier et les siens, si jamais ils changeaient d'avis et décidaient de les rejoindre. Aucun Nain n'aurait avoué facilement son absence de désir de frayer avec Abomé et sa cour, mais ce sentiment de rejet était présent en leur for intérieur. Bien sûr, si cela s'était avéré nécessaire, chacun aurait accompli l'effort voulu pour chasser méfiance et antipathie, et accueillir les frères.

Heureusement, la configuration de l'archipel se prêtait à cette répartition des terres et les Nains se disaient qu'ils auraient tort de ne pas en profiter.

* * *

Les pensées de Mukutu erraient ainsi, bien loin de leur point de départ, à savoir les amours secrètes de Babah. Or, au moment où il retrouvait ce point de départ, Mukutu eut la réponse à sa question.

Awah! La Naine Awah. La chef du village de Ngondé du temps des monts d'Oko. Babah avait toujours éprouvé un penchant pour Awah, depuis la période reculée de leur jeunesse. Mais, trop timoré, il hésitait à s'engager et Awah avait choisi un autre compagnon, Fidagmé, avec lequel elle avait bâti sa vie et eu des enfants.

Babah s'était effacé sans rien dire, peut-être même secrètement soulagé. Le sort avait décidé pour lui. Et il décidait encore pour lui, puisque maintenant que le Nain se sentait prêt à prendre épouse, il remettait Awah sur son chemin.

En effet, Fidagmé était mort. Enfin, il devait l'être. La nouvelle qu'il était malade et mourant était arrivée avec le dernier convoi en provenance de N'Dé, et c'était ce qui avait empêché Awah de prendre la mer plus tôt. Elle avait prévu qu'elle serait probablement du voyage suivant, rien ne la retenant plus dans les collines.

Mukutu était sûr d'avoir visé juste. Il jeta un coup d'œil sur Babah qui regardait la mer, l'air rêveur, et sentit son cœur se remplir d'affection pour lui. En même temps, il se dit qu'il allait se retrouver seul une fois de plus, et perdre son meilleur ami. Sauf s'il l'imitait. S'il se décidait à fonder un couple, lui aussi.

Il avait une Naine toute trouvée pour cela, fidèle, dévouée, aimante, une femme de tête faisant déjà partie de la famille puisqu'elle avait élevé Nihassah. Matilah avait toujours été présente auprès de lui, vive et attentionnée, le secouant quand il se laissait aller au chagrin.

Quelques années après avoir recueilli Nihassah, Matilah avait perdu son compagnon : le père de Bandélé avait péri dans un éboulement. Mais Matilah n'avait pas essayé d'orienter la relation qu'elle avait avec Mukutu à ce moment-là dans une direction plus intime. Comme lui, elle s'était refermée sur son chagrin, cherchant avant tout la cicatrisation de la blessure ouverte par ce décès inopiné et la paix de l'âme.

La solide affection qui les unissait, l'estime réciproque, les soucis partagés quand l'un des enfants se trouvait en difficulté – Mukutu étant tout naturellement entré dans le rôle de père de remplacement pour Bandélé – tous ces sentiments avaient cimenté la relation sans qu'il fût besoin de la faire évoluer vers quelque chose de plus tendre, donc éventuellement générateur de souffrance pour ces deux êtres déjà meurtris par la mort.

Mais maintenant? «Les temps changent!» serinait WaNguira à longueur d'année, en prenant un air inspiré qui amusait les Nains les plus irrespectueux. Oui, les temps changeaient, se disait Mukutu, il avait raison, le grand prêtre radoteur…

Toutes ces aventures… Lui-même, Mukutu, prenant la mer pour porter secours aux Kikongos esclaves… ensuite, cette dérive à cause de l'avarie de la *Bella-Bartoque*… puis cet archipel, avec Gaïg et les Sirènes… la réalisation de la prophétie… et aujourd'hui, ce besoin tout récent qu'il sentait de repartir à zéro, de commencer une nouvelle vie…

Babah avait mis l'accent sur un point délicat et Mukutu se dit qu'il y réfléchirait. Après. Dans le présent, seul comptait le coucher de soleil flamboyant qui s'allumait sous ses yeux, rivalisant avec le feu du liquide ambré dans son gobelet.

Il avala une gorgée, fit claquer sa langue et lança sur un ton trop neutre pour être honnête :

— M'est avis qu'c'est fini pour aujourd'hui, l'attente d'la Naine Awah ! Peut-être cette nuit, peut-être…

Mukutu ne put jamais achever sa phrase. Babah, d'un rapide coup de pied, avait fait rouler le tronc sur lequel il était assis et le grand chef avait basculé en arrière, renversant le contenu de son gobelet sur sa poitrine.

— Quel gâchis, quand même, vieux frère ! se moqua Babah. Tu gaspilles de la bonne boisson ! Tu devrais faire attention, au lieu de sortir des âneries…

— Des ân'ries ! M'est avis qu'c'est pas des ân'ries, si ça t'fait cet effet-là… J'ai bien raison, c'est elle qu'tu attends !

Babah, pour ne pas perdre l'avantage conféré par la position de Mukutu étendu sur le sol, avait attaqué :

— Et toi-même, qu'attends-tu pour faire pareil avec Matilah ? « Les temps changent ! », vieux frère !

Tous les deux avaient éclaté de rire à cette évocation du grand prêtre.

— D'accord, avait acquiescé Mukutu. J'lui dirai quand j's'rai sûr qu't'es casé avec Awah! Mais faudra pas qu'elle m'embête, avec *Les liquides d'Afo*…

— Pareil pour moi! Sûr qu'il y aura des conditions à poser dès le départ…

— M'est avis qu'on n'va pas r'nier notre amitié avec Afo, hein? Elle est gentille, cette petite…

— Tout à fait d'accord. On va la saluer encore un coup, avant l'arrivée des bateaux?

6

Les bateaux en question avaient mis plusieurs jours pour arriver. Les Nains s'interrogeaient. Qu'est-ce qui avait pu provoquer ce retard ? Une tempête, très loin, là-bas, dans le nord ? Ou bien le refus d'embarquer des derniers habitants des collines ? Ou une bataille contre des pirates – les Floups, depuis qu'ils les connaissaient mieux, ne faisaient plus figure de pirates à leurs yeux – qui aurait endommagé une des goélettes ? Une avarie, alors ?

Quand, enfin, des voiles s'étaient détachées sur l'horizon, Babah et Mukutu avaient donné l'alerte. Ils s'étaient institués sentinelles depuis la caverne-atelier de Bélimbé, située en hauteur et largement ouverte sur le large. Ce guet spontané présentait l'avantage secret de se trouver toujours à proximité d'Afo, ce qui leur permettait de contempler rêveusement la mer en sirotant force boissons reconstituantes.

Bélimbé sculptait à côté d'eux, sans parler, concentré sur sa tâche, et son silence s'était communiqué aux deux autres. Parfois, un Nain venait rendre visite, prendre quelques nouvelles, et repartait assez vite, surpris par le laconisme des réponses qu'on lui avait faites.

Cependant, au fil des jours, de plus en plus de visiteurs s'étaient montrés, intrigués par le temps pris par les goélettes pour effectuer cet ultime voyage. Vers la fin, il y avait toujours du monde dans l'atelier, devenu lieu implicite de rendez-vous, ce qui n'empêchait pas l'artiste de se livrer, imperturbable, à son occupation favorite. Il est vrai que le silence régnait même quand il y avait une dizaine de personnes présentes, ce qui était fort étonnant.

En réalité, les Nains se rendaient compte, à travers l'absence des Floups, à quel point ils étaient dépendants de ces petits personnages.

Ils étaient seuls sur cette île et personne ne savait où ils se trouvaient. L'eussent-ils su, les Hommes ne se seraient pas hasardés sous ces latitudes par trop méridionales. De toute façon, les Nains ne désiraient nullement vivre avec les Hommes. Ce n'étaient pas eux qui leur manquaient. Ils étaient surtout gênés de se trouver isolés sur une terre entourée d'eau, sans aucun moyen d'en sortir.

Les barques fabriquées pour circuler d'un îlot à l'autre dans la mer intérieure étaient bien trop petites pour le grand large et il n'était pas question de s'aventurer en pleine mer avec elles. Après l'euphorie de l'installation, les Nains voyaient combien ils étaient loin de tout, exilés sur cet archipel perdu dans l'immensité du sud.

Seuls les Kikongos affichaient un air relativement serein. Plus proches de l'élément liquide que leurs frères, ils envisageaient sans crainte le moment où, ayant appris à construire des embarcations de plus en plus grosses, ils pourraient se risquer de plus en plus loin sur les eaux. Mais sûrement pas pour rejoindre le pays de N'Dé, hanté par des créatures viles et cruelles.

Sans l'avoir jamais exprimé clairement, ils se sentaient trahis par leurs frères gnahorés qui prenaient pour modèle des êtres ignobles. Certes, ceux-ci ignoraient ce dont les Hommes étaient capables, au moment où ils avaient quitté les collines pour vivre en ville. Mais maintenant? Même s'ils sous-estimaient les horreurs concernant l'esclavage des Nains des sables, ils n'ignoraient plus totalement ce qui s'était passé.

Quand Bélimbé avait informé Abomé de la réalisation de la prophétie et de la découverte de Faïmano, il lui avait raconté le triste sort dévolu aux Kikongos par les Hommes, sur Sondja. L'Abominable avait prétendu que tous les êtres n'étaient pas identiques et qu'il y avait des créatures indignes partout. Même chez les Nains ! avait-il ajouté avec un certain cynisme…

À la suite de cette réflexion, fort vexante pour la nanitude tout entière, les Kikongos avaient perdu toute l'estime qu'ils portaient aux Gnas. Ils considéraient comme sauvés de la damnation éternelle ceux qui s'opposaient à Abomé et venaient s'établir dans l'archipel. Mais les autres, ceux qui persistaient à vouloir imiter les représentants des puissances du Mal, étaient voués à l'ignorance, à la souffrance et aux pires maux du corps et de l'âme.

* * *

Comme pour leur donner raison, les goélettes qui arrivaient amenaient non seulement les derniers occupants des collines – y compris Awah, auprès de qui Babah s'était d'office attribué un rôle de guide séducteur et consolateur –, mais un petit groupe de Gnahorés porteur de sombres nouvelles.

Les relations avec les Hommes, qui se détérioraient depuis quelque temps déjà, avaient atteint, selon eux, un point de non-retour. Des Nains avaient disparu et on soupçonnait les Hommes de les avoir enlevés. Pourquoi? Les Gnahorés l'ignoraient. Mais ceux qui avaient embarqué *in extremis* avaient jugé plus prudent de s'éloigner du pays de N'Dé.

Ils avaient d'abord pensé rejoindre les collines et y demeurer, mais en voyant les autres Nains s'en aller, ils avaient pris le large eux aussi.

Abomé, têtu, borné, entêté – les qualificatifs ne manquaient pas… – ne voulait rien entendre, rien savoir. Il conseillait à son peuple d'adopter une attitude de tolérance et d'ouverture, que les passagers des bateaux n'hésitaient pas à qualifier de servile et obséquieuse. Il fallait ménager les Hommes, éviter de les énerver et tâcher de tout faire pour les mettre dans de bonnes dispositions.

Le chef poussait la mauvaise foi jusqu'à prétendre que les Nains disparus s'étaient peut-être envolés de leur propre gré comme Fé, Bélimbé, et tous les autres qui avaient rejoint Faïmano.

— Moi, je suis sûr qu'ils ne sont pas éloignés volontairement! affirmait avec force gestes Doumbénény, un jeune Gnahoré revenu de l'admiration jadis éprouvée pour Abomé. Nous étions réunis un soir chez Éyango pour déguster des ·grillades en plein air et nous sommes restés dehors assez tard. Nous étions sans doute un peu bruyants, puisque les voisins se sont plaints. Nous sommes rentrés dans la villa, et c'est à ce moment-là que je suis parti. Le lendemain, il y avait des traces de lutte, mais plus personne. Éyango avait disparu, et Anani, Ndomé, Kambu et Bamiléké également. Cependant, il n'a jamais été question de départ avec eux, je peux vous le certifier !

Puis il avait ajouté, un peu honteux :

— Nous ne voulions pas venir ici… Ça a l'air bien, pourtant. Ce n'est pas ainsi qu'Abomé nous avait présenté l'île…

Les autres écoutaient attentivement son récit. Ainsi, les Hommes s'étaient enhardis jusqu'à attaquer les Nains sur place ! Et Abomé, mis au courant, au lieu d'agir, avait prétendu que les amis de Doumbénény étaient partis librement. De plus, il avait osé mentir en parlant de Faïmano ! Décidément, rien ne l'arrêtait…

Doumbénény avait enquêté, bien sûr, il avait cherché des indices. Il s'était promené un peu partout dans la ville, l'œil à l'affût, pour se rendre compte, *a posteriori*, que c'était lui qui était surveillé. Heureusement qu'il ne s'était jamais aventuré dans les zones désertes ou mal famées de la cité... Ce qui n'empêchait pas les Hommes de sortir de ces zones et d'errer dans tous les coins de la ville.

— À la fin, je les reconnaissais de loin, continuait Doumbénény. Ils sont toute une bande, mais trois d'entre eux se déplacent toujours ensemble. Il y en a deux qui portent leur capuchon rabattu sur le front, et j'ai fini par comprendre pourquoi : ils n'ont pas d'oreilles !

Le regard échangé entre Diko, Gombo, et les Kikongos, ne lui avait pas échappé.

— Oui, je suis sûr de ce que je dis. Ça peut paraître bizarre, mais c'est ainsi.

— Oh, nous te croyons, l'avait rassuré Gombo. Nous savons de qui tu parles.

— Vous les connaissez ?

— Plus que tu ne penses ! C'est à cause de nous qu'ils sont ainsi mutilés. Mais c'est aussi à cause d'eux que Do l'est... Cela dit, nous ne les connaissons pas vraiment. Mais ils font partie de la bande de Sondja, ça, c'est sûr.

— Mais qu'est-ce qu'on peut faire, alors ?

Les Nains avaient discuté longtemps. Porter secours aux Gnahorés, oui, à condition qu'ils veuillent être secourus. Mais ils étaient aveuglés par un éclat factice et ils refusaient l'aide qu'on leur offrait. Après tout, sachant qu'une terre les attendait dans le sud, pourquoi s'étaient-ils entêtés à demeurer chez l'ennemi ? S'ils avaient accepté de s'embarquer dès le début avec les autres, on n'en serait pas là…

— Nous pouvons faire une ultime tentative pour tenter de les convaincre de venir ici, avait proposé WaNguira. Il ne peut rien sortir de bon de tout cela. Il n'est pas du tout sûr qu'en cas de guerre, ils vaincraient. Ils ne sont pas assez nombreux pour se défendre…

Les Nains gardèrent le silence. Personne n'avait envie de retourner là-bas. Les Gnahorés avaient eu plusieurs fois l'occasion de rejoindre le reste de la nanitude et ils avaient toujours refusé. Ils avaient accueilli leurs frères en détresse dans les collines, certes, mais en maintenant une certaine distance. Abomé et WaNkoké n'avaient jamais daigné se déplacer pour leur rendre la moindre visite, voir comment ils étaient installés, s'ils ne manquaient de rien.

La solidarité, d'accord, à condition qu'elle fonctionne dans les deux sens. WaNguira devinait les pensées qui s'agitaient sous les fronts plissés de ses frères.

— Moi, j'y vais, dit-il simplement.

— Je viens avec toi, déclara aussitôt Nihassah, comme si elle n'avait attendu que ça.

— Alors moi aussi, ajouta Bandélé mollement, sans doute poussé par l'insistance muette du regard maternel.

— Je retourne avec vous, lança Doumbénény. Je veux savoir ce qu'ils sont devenus.

Un silence épais régna de nouveau. Visiblement, personne d'autre ne voulait quitter Faïmano. Et voilà ! pensait WaNguira, voilà le résultat de la conduite d'Abomé ! Jamais une telle situation ne se serait produite avant. Autrefois, ils se seraient tous précipités pour voler au secours de leurs frères. Il est vrai que les frères en question se seraient montrés plus réceptifs.

Tandis que là, les volontaires reprendraient la mer sans aucune assurance que leur déplacement porterait des fruits.

— C'est bon, conclut-il sans insister. Nous n'avons pas besoin d'être des mille et des cents, surtout si nous devons les ramener.

— Si je comprends bien, il y aura encore un voyage vers le pays de N'Dé ! lança Pilaf. Je finirai par le connaître par cœur, le chemin d'Orfie aux marais de Guguletu.

— Sauf que cette fois-ci, il risque d'y avoir de la bagarre, capitaine ! répondit Flopi, pensif. Connaissant les Hommes, si c'est bien ce que je pense…

Il n'acheva pas sa pensée. Il était évident pour tous que des Nains faits prisonniers par cette engeance, c'était la porte ouverte à toutes les exactions.

Les préparatifs de départ se firent rapidement. Il fallait renouveler les réserves des bateaux en matière d'eau et de nourriture et les Nains s'en occupèrent promptement. Ce qui était bien la moindre des choses puisque les Floups n'avaient jamais accepté de rétribution pour leurs voyages. Il est vrai qu'ils recevaient en cadeau des armes dont la valeur n'était plus à démontrer…

— De toute façon, nous sommes toujours sur l'eau, avait prétendu Flopi. Ici ou ailleurs, nous naviguons tout le temps. Il vous suffit de prévoir le ravitaillement…

— Heureusement que vous avez Afo! avait lancé Pilaf après avoir acheminé le premier convoi de Nains depuis N'Dé. La prochaine fois, on vous amène Gargamel! Ça manquera bientôt de cultures, par ici…

Effectivement, la fois suivante, sur le trajet du retour, ils étaient passés prendre la Floupe jardinière. Cette dernière, poussée par la curiosité et le désir de voir comment Afo se débrouillait, n'avait pas hésité longtemps avant de répondre à l'invitation. Elle avait rapidement laissé quelques consignes d'arrosage et de désherbage à ses voisins et avait embarqué.

7

Afo et Gargamel s'étaient retrouvées avec joie et la Naine avait été très fière de montrer ses plantations, d'autant plus que son amie était impressionnée par l'importance de l'ouvrage réalisé. Celle-ci se rendait compte que les Nains étaient un peuple de travailleurs acharnés : quand ils se mettaient à la tâche, ils n'avaient rien à envier à personne.

Afo était devenue une jardinière accomplie et, comme Gargamel avait apporté force graines et plantules, toutes les deux avaient passé leur temps à jardiner. La Floupe avait partagé son expérience avec Afo, lui montrant les plantes comestibles et lui expliquant quel était le meilleur moment pour semer, tailler, récolter. Afo avait enrôlé quelques frères et sœurs pour aider à défricher, ce qui n'était que justice puisque tout le monde profitait des récoltes.

Plusieurs Nains, ayant apprivoisé la vie à l'extérieur et appréciant le plein air, s'étaient adonnés avec plaisir à ces activités et avaient ensuite aménagé leur propre jardin. La terre était neuve, donc généreuse. Les graines ne demandaient qu'à germer, les plantes qu'à pousser, et la production était abondante.

Il n'y avait guère de risque de famine dans l'immédiat, d'autant plus que les Nains, habitués à une vie cavernicole, sans ressources immédiates, se montraient prévoyants. Plusieurs d'entre eux chassaient, mais sans forcément abattre le gibier, se contentant de capturer chèvres et cochons sauvages en vue de la domestication.

Conscients que la richesse des îles, si abondante fût-elle, n'était pas inépuisable, ils évitaient de tuer plus que nécessaire, optant pour l'élevage. Les viandes, séchées, se conservaient assez longtemps dans les grottes et servaient à l'approvisionnement des bateaux.

Seuls les Kikongos préféraient se nourrir des produits de la pêche. Comme ils n'étaient pas nombreux, leur consommation n'avait guère d'incidence sur la faune de la mer intérieure et n'affectait donc pas les Sirènes.

Celles-ci ne se montraient pas, ou si peu. On savait qu'elles étaient là, puisque Gaïg se partageait entre l'eau et la terre. Elle rendait visite à Nihassah chaque jour, ou presque. Parfois, elle passait saluer son vieil ami aveugle sur son îlot, allait voir Dikélédi, ou Mfuru, et même Afo et Keyah, qui l'avaient soignée autrefois. Elle gardait encore une certaine réserve avec WaNguira, qui l'impressionnait toujours.

Son temps s'écoulait ainsi, d'un milieu à l'autre, d'un peuple à l'autre, sans pour autant parler des uns avec les autres. Les Sirènes demeuraient des créatures très mystérieuses pour les Nains, et l'inverse était tout aussi vrai. Seule Gaïg, plus que jamais fille de la Terre et de l'Eau, se trouvait aussi à l'aise avec tous.

Néanmoins, sa préférence allait à la mer : elle avait tellement de choses à découvrir ! Le monde marin lui semblait encore plus passionnant qu'avant et elle ne s'ennuyait jamais à écouter les histoires que Vaïmana, Tamateva, ou les autres, lui racontaient. Il y avait du temps à rattraper et elle s'appliquait à tout retenir, ce qui rendait Vaïmana très fière de sa petite-fille.

— *Je crois qu'Itia est très intelligente, ma chère !* susurrait onctueusement Shitaké, sourire aux dents, pour faire plaisir à son amie.

Vaïmana, qui n'était pas dupe, répondait invariablement la même phrase :

— Elle a de qui tenir. Sa mère l'était, elle aussi. Ça se transmet, ma chère...

Toutes les deux éclataient de rire, complices dans l'affection qu'elles portaient à Gaïg. Tout à son apprentissage de la vie sous-marine, celle-ci ne s'intéressait que de loin, et assez peu, à l'installation des Nains dans Faïmano et à leur nouveau mode de vie. Elle avait accompli sa mission, bien malgré elle, d'ailleurs, et n'en tirait aucune fierté. Du moment qu'elle pouvait retrouver ceux qu'elle chérissait entre tous…

Txabi était le seul, avec Nihassah, qu'elle voyait chaque jour. Elle le savait en sécurité sur cette terre dépourvue de prédateurs, d'autant plus qu'il ne quittait guère Loki. Elle lui laissait donc une entière liberté, tout en estimant qu'elle était toujours responsable de lui: elle voulait se montrer digne de la confiance de Maïalen. Cependant, Txabi prenait très bien soin de lui-même tout seul et ne semblait pas éprouver le moindre désir de rejoindre les siens.

Ce qui n'empêchait pas Gaïg de garder l'œil sur lui à chaque nouvel appareillage des goélettes; elle se méfiait de Loki qui pouvait décider, à n'importe quel moment, de prendre le chemin de la forêt de Nsaï en emmenant le jeune Salamandar avec lui sans que cela lui pose un grave problème de conscience.

En attendant, les jours s'écoulaient, sereins, et Gaïg, d'après ce qu'elle en savait, n'avait pas été étonnée d'apprendre ce qui était arrivé aux

Gnahorés. Que WaNguira désire leur rendre visite en personne, cela n'avait rien de surprenant. Que Nihassah veuille l'accompagner plaisait moins à Gaïg. Elle n'avait pas envie de se séparer de celle qu'elle considérait toujours comme sa mère.

— *Sauf si tu y vas également, chère petite!* avait proposé Shitaké, sous le regard alarmé de Vaïmana.

Mais il était trop tard, l'idée avait été lancée. Curieusement, Gaïg ne l'avait pas faite sienne immédiatement. Elle avait gardé un assez mauvais souvenir de son séjour en pleine mer et n'était pas pressée d'y retourner. Entre Iolani, Spongia Magna et les pirates des Contrées de l'Est, elle avait frôlé la mort de multiples fois, ce qui expliquait son peu d'enthousiasme à la pensée de suivre Nihassah.

En effet, Gaïg maîtrisait totalement l'évolution dans l'élément liquide, au point d'oublier qu'on pouvait se déplacer en mer autrement qu'en nageant sous l'eau.

Une fois de plus, ce fut Shitaké, sans doute désireuse de rattraper sa bévue, qui émit l'idée salvatrice.

— *Je voulais dire en bateau, chère petite*...

Le visage de Gaïg s'éclaira. Bien sûr, elle était là, la solution, pour ne pas quitter Nihassah.

Elle pouvait voyager en tant que passagère sur le même bâtiment que Nihassah ! Encore que… un séjour sur le *Sibélius* de Flopi ne ferait pas remonter de bons souvenirs dans sa mémoire. Gaïg s'étira de tout son long, juste pour se prouver qu'elle n'était plus confinée dans un espace restreint, entre des tonneaux remplis d'eau, et qu'elle avait de la place autour d'elle. La *Bella-Bartoque* de Pilaf non plus ne générait pas de bons souvenirs. C'est à cause d'elle, si on peut dire, que Gaïg s'était retrouvée toute seule en plein océan… Restait le *Debuci* de Pafou, que Nihassah avait emprunté pour venir.

Gaïg hésitait. Elle se rendait compte qu'elle n'avait pas envie de quitter le domaine siré-nien. Son désir d'y demeurer l'emportait sur celui d'être avec Nihassah. Elle eut une fois de plus conscience de cette indépendance nouvelle qu'elle s'accordait, cette autonomie qui lui permettait de choisir. Elle se sentait libre de prendre les décisions qu'elle voulait, importantes ou non, pour tout ce qui concer-nait sa vie. Elle réfléchit encore un instant afin d'être sûre de son choix.

— Je préfère rester ici, dit-elle simplement. J'en ai un peu assez, de courir les mers…

Un sourire éclaira la face ridée de l'An-cienne, qui soupira d'aise. Elle avait gagné. À Faïmano, sa petite-fille se trouvait mieux que partout ailleurs. Elle avait envie d'y demeurer, elle aimait mieux ce séjour à un voyage parmi les terriens – terme utilisé par l'Ancienne pour nommer toute créature qui n'était pas sous-marine. L'ascendance maternelle de Gaïg avait repris le dessus.

* * *

Les trois goélettes appareillèrent donc sans Gaïg, qui se contenta de faire ses adieux à Nihassah sur la plage.

Elle vit Loki sur la *Bella-Bartoque*, en train de donner des ordres auxquels personne n'obéissait. Il s'agitait comme un fou, sans doute en souvenir de l'époque où il s'était institué lui-même second de Pilaf, mais comme Txabi se tenait à côté d'elle, elle ne s'inquiéta pas. Le Pookah pouvait faire semblant de partir, il semblait bien trop heureux de la vie qu'il menait à Faïmano pour s'en aller.

Gaïg demeura longtemps sur la plage avec les autres Nains, assistant aux derniers préparatifs tout en contemplant la mer ; elle seule pouvait distinguer, au large, parce qu'elle savait qu'elles y évoluaient, des Sirènes s'ébattant joyeusement dans l'eau.

Le voyage de retour fut un peu trop tranquille au gré des Floups qui s'étaient habitués à la présence des Nains à bord. Ils s'amusaient beaucoup de leurs mines terrorisées quand roulis ou tangage secouaient un peu le bâtiment.

Pourtant, les passagers ne se trouvaient pas tous sur le même bateau. Nihassah et Bandélé avaient pris place sur le *Debuci*, fidèles à Pafou qui les avait emmenés la première fois. WaNguira et Doumbénény avaient opté pour le *Sibélius* de Flopi.

Pilaf s'était retrouvé sans Nains, mais cela lui était bien égal. Ce qui l'intéressait, c'était naviguer, accumuler des milles, donc de l'expérience. Tout voyage était bon pour cela.

En dehors de Trompe, Falop et Plofi, son équipage s'était enrichi de deux nouvelles recrues : Falafel et Clafouti, rêvant d'aventures, qui avaient demandé à embarquer lors d'une escale à Flétan. Falafel, déjà mousse sur un bateau, avait vu là, dans le personnel restreint de la *Bella-Bartoque*, une occasion de progresser plus rapidement dans la hiérarchie et d'accéder tout de suite au grade de marin.

Clafouti, sa sœur, s'était laissé séduire par les récits passionnés de Trompe sur la vie de pirate. Pilaf, ayant observé Trompe à l'œuvre, n'avait pas fait de difficulté pour l'accepter : il savait que sa participation au travail commun vaudrait celle de n'importe quel Floup, pour peu qu'elle se montre motivée. Quant aux superstitions sur les malheurs entraînés par les présences féminines à bord, il estimait avoir fait le tour de la question. Même s'il conservait précieusement certaines autres croyances, soigneusement entretenues au sein de son entourage, il se fiait à son vécu pour éliminer toutes celles qui avaient trait aux Floupes. Et pas seulement à elles…

L'expérience lui avait prouvé que certaines représentantes du sexe féminin pouvaient se révéler redoutables quand il s'agissait d'utiliser un arc, par exemple. Clafouti avait donc emboîté le pas à son frère sur le pont, en tant que mousse, ce qui ne la dérangeait nullement puisqu'elle avait tout à apprendre. Et même si le capitaine avait parfois mauvais caractère, elle lui était profondément reconnaissante de lui avoir accordé une chance de faire carrière sur l'eau.

À ce jour, non seulement Pilaf était le plus jeune capitaine floup à posséder son propre bâtiment, mais de plus, il était bien le seul à naviguer avec deux Floupes à son bord. Trompe et Clafouti s'entendaient à merveille, ayant développé une grande complicité à travers leurs goûts communs : la mer, la bataille, la piraterie, la florinette, et même le tir à l'arc.

Elles s'entraînaient vaillamment pour maîtriser les golpes les plus ardus de la florinette et
n'hésitaient pas à y introduire des nouveautés
destinées à déstabiliser l'adversaire, sous forme
de cris, de grimaces et de coups d'œil ravageurs
qui, dans le présent, n'avaient de prise que sur
Pilaf. Il avait progressé, certes, mais il était
aussi resté, par certains côtés, un jeune Floup
rageur et vindicatif, trop impulsif.

Si les Floups estimaient que la vie à bord,
sans une armée de Nains, manquait un peu
d'animation quand il n'y avait pas d'abordage
en perspective, il n'en allait pas de même pour
WaNguira, aux prises avec Doumbénény, qui
se révélait un bavard impénitent.

Le grand prêtre le connaissait finalement
assez peu et se rendait compte, au fil du voyage,
combien la vie avec les Lisimbahs et les autres
était calme et reposante. Doumbénény était
toujours en représentation, agité et théâtral.
Mimiques et gestes expressifs accompagnaient
ses tirades grandiloquentes, afin de les rendre
plus percutantes.

Si WaNguira ne l'avait pas constaté sur l'île,
c'était parce qu'il s'était laissé prendre au jeu,
tout simplement. Doumbénény, chagriné et
repentant, inquiet pour ses amis, anxieux
quant à l'avenir, ne pouvait qu'émouvoir les
cœurs avec ses larmes.

Sur le *Sibélius*, la promiscuité mettait en relief les travers de chacun et le grand prêtre avait du mal à supporter les élans gestuels et oratoires du Gnahoré : Doumbénény se donnait perpétuellement en spectacle et en rajoutait encore lorsqu'il se rendait compte qu'on le regardait.

Heureusement, la majeure partie du temps, les Floups ne lui prêtaient guère attention. Auquel cas, Doumbénény se tournait vers le grand prêtre et se répandait une fois de plus en lamentations sur les malheurs de ses frères. Malheurs bien compréhensibles, pensait WaNguira, quand on est ainsi attaché aux apparences.

D'après ce qu'il déduisait des dires de cet acteur né, les Gnahorés vivaient dans une perpétuelle concurrence. Très conscients du regard des autres, ils se montraient excessivement concernés par ce qu'on dirait d'eux, y compris les Hommes. C'était à celui qui serait le plus grand, quitte à tricher par différents moyens, le plus élégant, le plus brillant dans la conversation.

— Mais de quoi parlez-vous donc dans vos soirées ? avait demandé WaNguira.

— De quoi parlons-nous ?

Doumbénény était resté un moment interdit par cette question inhabituelle. Comment pouvait-on dire de quoi on parlait ? Les sujets se succédaient à une telle rapidité! Il est vrai qu'on n'en approfondissait aucun, et pour cause...

La dernière coiffure à la mode, encore plus en hauteur que les précédentes, le prix du tissu, sa couleur et ses nuances, son chatoiement velouté ou satiné, la souplesse du cuir des chaussures, la taille des talons, leur forme, les bals plus ou moins réussis de l'un ou de l'autre, les échanges de plus en plus difficiles avec les Hommes...

Comme WaNguira attendait la réponse, Doumbénény avait bafouillé:

— Nous sommes très libres, nous parlons de tout. Il n'y a pas de sujet interdit. Abomé, quelles que soient ses erreurs, est très ouvert d'esprit.

— Je vois, avait lâché le grand prêtre avant de le planter là.

Il était allé s'asseoir tout seul, à même le pont, le dos contre une des barques. Il avait besoin de s'isoler pour réfléchir. Si Nihassah avait été présente, il aurait volontiers partagé ses pensées avec elle. Il eut envie de s'adresser à elle par la pensée, mais se retint, craignant de se montrer importun. Puis, n'y tenant plus, il émit doucement un «Je te dérange?» qui vint chatouiller le front de Nihassah, entre les sourcils.

«— Non, pas du tout, je rêvais en contemplant l'eau. Bandélé est un peu barbouillé à cause du mal de mer, il se repose. Ça va, pour vous deux ? Je veux dire Doumbénény et toi ?

— Pour lui, ça va beaucoup mieux. Il n'a qu'une hâte, c'est de retrouver les siens. »

Nihassah se méprit sur les paroles du grand prêtre.

«— C'est bon signe. Il avait l'air très affecté par le sort de ses amis disparus…

— Hum ! Je veux dire qu'il a hâte de retrouver les fêtes et la vie mondaine. Il n'a plus rien à voir avec le Nain larmoyant qui est venu chercher du secours.

— Il nous aurait joué la comédie, alors ? Mais pourquoi ?

— La tragédie, plutôt… Et on s'y est laissé prendre. Quant à savoir pourquoi, je suppose qu'il ne le sait pas lui-même. Il est chaque fois sincère, dans le rôle qu'il joue…

— Ce qui signifie qu'on s'est déplacé inutilement ?

— Je n'en sais rien moi-même. Peut-être pas… Mais je ne suis pas du tout sûr que nous aurons plus de succès que Bélimbé. Et s'ils viennent sur Faïmano, ils risquent de s'ennuyer…

— À ce point ?

— Plus que tu le penses, ma chère Nihassah. Une chose est sûre, je n'essaierai pas de les convaincre plus que de raison. Nous n'avons pas de salle des fêtes, à Faïmano. Et je ne sais pas si les spectateurs présumés seront distraits longtemps par le spectacle…

— S'il n'y a pas de spectateurs, le spectacle s'arrêtera de lui-même…

— Quelle sagesse, future grande prêtresse! Certes, on pourrait considérer les choses sous cet aspect. Dans le meilleur des cas. Sauf qu'il y en aura toujours, des spectateurs… Ils se regarderont jouer!»

La conversation s'était arrêtée là, plongeant Nihassah dans un abîme de perplexité. Les Gnahorés, décidément, n'étaient pas faciles à vivre…

8

Le voyage était bien entamé et on découvrait déjà les côtes de Sondja. Avec leurs passagers nains, les Floups les longeaient de préférence par l'ouest, pour ne pas risquer de se retrouver coincés entre deux terres, en cas d'attaque. Mais quand ils naviguaient seuls et se sentaient d'humeur à s'amuser, aucune route n'était à éviter !

Cette fois-ci, Pafou avait décidé de prendre par l'ouest et Pilaf, armé d'une longue-vue, barrait la *Bella-Bartoque* tout en considérant l'île. Il jetait de temps en temps un rapide coup d'œil en avant pour s'assurer que la voie était libre, puis reportait son regard sur la terre.

Il ne réalisa pas tout de suite que deux passagers qui se trouvaient sur le pont, à l'avant, en train de regarder l'île eux aussi, n'auraient pas dû y être. Peut-être était-ce à cause du naturel de leur posture, ou de l'aisance avec laquelle ils discutaient de ce qu'ils avaient sous les yeux.

Pilaf les vit se diriger très naturellement vers lui et ce n'est que quand ils furent arrivés tout près qu'il sursauta. Il ne les avait pas embarqués, ces deux-là! D'où sortaient-ils?

— Hi! hi! Tu te rappelles, capitaine? C'est là qu'on s'est connus! Hu! hu! hu! J'ai calculé notre position...

Pilaf avala sa salive, ébahi. Que devait faire un capitaine digne de ce nom face à deux passagers clandestins? Les mettre aux fers immédiatement, cela ne faisait aucun doute! Mais quand il s'agissait de Loki et Txabi?

La jeunesse l'emporta sur la sagesse et il choisit de savourer l'inattendu de la situation. On verrait après, pour les choses sérieuses. Et puis, quelles choses sérieuses? Loki n'était pas prisonnier à Orfie et il avait le droit de voyager quand bon lui semblait, après tout. Et Txabi aussi. Mais ils auraient pu avertir, quand même... lui demander, même s'il avait fallu garder le secret... Il était le capitaine, non?

Néanmoins, c'est avec un large sourire de bienvenue qu'il répondit.

— Oui. Et ensuite, tu es devenu mon second, et ensuite, tu as lâché la barre de la *Bella-Bartoque* pour aller tirer des flèches...

— Hon! hon! Je ne me souviens pas de ça. Mais je veux bien être ton second de nouveau...

— Gaïg sait-elle que vous êtes partis?

— Hi! hi! hi! À ton avis?

— Sûrement que non. Sinon, vous seriez sortis beaucoup plus tôt… Mais Txabi?

— Eh bien, quoi, Txabi? Il est là, non?

— Justement! D'après ce que j'avais compris, il devait rester avec Gaïg…

— Hi! hi! hi! Tu avais sans doute mal compris...

Pilaf haussa les épaules. Après tout, que Txabi ait désobéi ou non lui importait peu.

— Vous retournez dans votre forêt? demanda-t-il néanmoins, le cœur battant plus vite qu'il ne l'aurait voulu.

— Non, pourquoi? C'est une vieille petite forêt, ennuyeuse au possible. Je n'y remettrai jamais les pieds. Hé! hé!

Il se tut, le regard fixé sur l'horizon, puis ajouta, l'air trop innocent pour être honnête:

— Sauf si tu as besoin que j'y aille pour toi...

Pilaf haussa les épaules une nouvelle fois, un peu plus énervé. La conversation prenait un tour dangereux, il préféra changer de sujet.

— Quand j'ai examiné la côte, tout à l'heure, il m'a semblé voir de la fumée. Mais j'ai pu me tromper…

— On peut s'y arrêter, si tu veux. Je la connais par cœur, cette île !

— Pafou et Flopi n'ont pas l'air très intéressés. Regarde comme ils filent. On ferait mieux de les rattraper…

Pilaf donna quelques ordres, que Loki se dépêcha de répéter d'une voix tonitruante, pour la plus grande surprise de tous. Mais on obéit, on borda les voiles et le capitaine sentit avec plaisir le frémissement annonciateur d'accélération qui parcourait la coque. Il ignorait pourquoi les deux autres avançaient aussi vite. Peut-être qu'ils ne désiraient pas s'attarder dans ces eaux par trop fréquentées…

Pourtant, Pilaf se serait volontiers lancé dans un abordage, malgré son équipage restreint. Il espérait le faire en compagnie de Flopi et Pafou pour commencer, mais ceux-ci lui avaient expliqué qu'avec des Nains à bord, la chose n'était pas envisageable. Ils avaient charge d'âme et se sentaient trop responsables de leurs passagers pour exposer ainsi leur vie.

— Mais ne t'inquiète pas, capitaine ! l'avait rassuré Flopi. Tu auras bientôt l'occasion de te lancer. Dès qu'on en aura terminé avec les Nains, on reprend le travail !

Pilaf était impatient de gagner non seulement ses lettres de noblesse dans la piraterie mais aussi d'accumuler du butin. Cependant, il était également conscient des difficultés évoquées par Flopi. Il fallait amener les Nains à bon port, et maintenant qu'il les connaissait mieux, il les trouvait fort inégaux, dans leur diversité. Ce qui pouvait se révéler gênant dans une bataille…

Ceux qu'il avait vus à l'œuvre étaient sans doute les meilleurs, parce que les autres, rencontrés par la suite, s'étaient parfois montrés lents et lourdauds. Ou même un peu cocasses, il fallait bien l'avouer. Pilaf pensait là aux Gnahorés et à Doumbénény en particulier, avec ses vêtements soyeux et chamarrés. Le moins qu'on puisse dire, c'est qu'il était particulièrement différent de ses frères…

Si le jeune Floup avait espéré une attaque d'un quelconque ennemi, simplement pour avoir le plaisir de se défendre, il fut déçu. Les trois bateaux arrivèrent sans anicroche en vue des marais de Guguletu.

Le capitaine de la *Bella-Bartoque* vit que Flopi mettait une barque à la mer pour débarquer WaNguira et Doumbénény. La barque passa récupérer Nihassah et Bandélé sur le *Debuci* et elle commençait sa progression vers la terre quand Loki se mit à hurler et à sauter sur le pont pour qu'on vienne le chercher lui aussi, avec Txabi.

Pilaf se demanda s'il avait eu l'air aussi ahuri que les occupants de l'embarcation en apercevant le Pookah bondir comme un beau diable. C'était à dessein qu'il n'avait pas averti ses pairs de la présence à son bord de deux passagers inattendus. Il prévoyait de tirer un certain plaisir de leur ébahissement et il fut ravi de ce qu'il voyait. Dire qu'on allait peut-être l'accuser de les avoir amenés avec lui en cachette! « Pour une fois que je suis réellement totalement innocent! » pensa-t-il en riant *in petto*…

Flopi effectua un détour afin de récupérer Loki et Txabi qui sautèrent d'un bond leste dans la barque. L'étonnement était de mise mais Loki fit taire tout le monde en annonçant d'un ton qui n'admettait ni réplique ni question:

— Hi! hi! hi! Je suis venu chercher les Gnahorés moi aussi!

« Si seulement il disait vrai! Si seulement il pouvait nous aider à les convaincre! » songea WaNguira. « Mais il faudrait qu'il se montre un peu plus sérieux, pour cela… »

Malheureusement, il semblait que Loki n'était là que pour le jeu et la plaisanterie. Pourtant, dans un éclair de lucidité, le grand prêtre reconnut néanmoins que le Pookah, sous ses airs de lutin farceur, avait joué un rôle clef dans la réalisation de la prophétie.

C'était lui qui avait provoqué la naissance de Dikélédi dans la forêt de Nsaï, lui permettant ainsi de devenir la *Fille-de-toutes-les-Dryades*. Et d'après ce qui lui avait été raconté par la suite, c'était encore lui qui avait détaché la barque de Gaïg et de ses compagnons sur la Yoruba : les Kikongos retrouvés, c'était en quelque sorte grâce à lui.

Ensuite, il y avait eu un enchaînement de causes à effets, qui avait conduit à la découverte de l'archipel de Faïmano, la terre promise par Mama Mandombé aux siens. Qui était réellement le Pookah ? Représentait-il quelque chose de plus qu'un Pookah ?

WaNguira, plongé dans sa réflexion, le considérait sans ciller. Loki le regardait, lui aussi, souriant de toutes ses dents qui semblaient étonnamment blanches, jeunes et solides pour un être en apparence si âgé. Plus le grand prêtre considérait son visage ridé, plus il lui trouvait un air de ressemblance avec... avec qui ? Personne, bien entendu. Les Pookahs ne ressemblaient à personne, ils étaient uniques !

Comme Nihassah le cognait discrètement avec le coude, il sursauta. En effet, d'après les règles de politesse en vigueur chez les Nains, il était jugé malséant de dévisager ainsi les êtres, fussent-ils des Pookahs. WaNguira émergea de ses pensées, toussota pour dissimuler sa gêne, et laissa traîner négligemment son regard avant de s'attarder sur Txabi. Sans le réaliser, il plongea de nouveau dans une nouvelle méditation, tout en examinant le jeune Salamandar.

Lui aussi avait joué un rôle important dans la réalisation de la prophétie. S'il ne s'était pas sauvé juste avant l'effondrement qui avait clos la galerie de Sémah, Gaïg ne l'aurait pas suivi, et… WaNguira se sentit saisi par le vertige. Tout se tenait, finalement, c'était comme si tous les compagnons de Gaïg avaient eu leur raison d'être. Tout s'était enchaîné en laissant croire que le hasard avait organisé la succession des événements alors que, peut-être, rien n'était arrivé par hasard…

C'était encore Txabi qui était venu dire à ses frères qu'il y avait des Nains esclaves sur une île, et Patxi l'avait averti, lui, WaNguira. « Un mystère de plus, pensa-t-il. Les Salamandars sont-ils nos amis ou nos ennemis ? Nous les avons toujours considérés comme des rivaux, mais le sont-ils vraiment ? Bien qu'ils se soient installés dans les monts d'Oko tout de suite après nous, on ne peut nier la réalité du volcanisme et des tremblements de terre. Certes, il y a eu Ihou, inexplicablement enfui des profondeurs de Sangoulé. Peut-être que les Salamandars peuplaient déjà les monts, sans qu'on le sache. Preuve qu'on pouvait bien les partager, ces galeries… Ils sont tellement discrets. Ce n'est pas par hasard qu'on les a surnommés les Furtifs… »

Un nouveau coup de coude discret de Nihassah le rappela à la réalité : il dévisageait Txabi, lippe pendante, en se frottant le menton. Décidément, le grand prêtre s'oubliait… Elle lui sourit.

— On est bientôt arrivé. Il faudra faire attention aux sables mouvants.

— Ça devrait aller, répondit-il en palpant sa poche. J'ai de quoi aspirer toute l'eau de la Terre, si je veux…

— La gemme de Maza ? interrogea-t-elle pour être sûre d'avoir bien compris.

Il battit des paupières en signe d'assentiment. Nihassah poursuivit, un peu hésitante, en baissant le ton :

— Tu sais, cette vague géante qui a mené Flopi jusqu'à Faïmano… Avec Pilaf, sur la *Bella-Bartoque*, vous avez essuyé une drôle de tempête, vous aussi… Je me suis parfois demandé pourquoi tu ne l'avais pas utilisée cette fois-là ?

— J'ai essayé. Mais elle a refusé.

Une telle réponse ne faisait qu'exacerber l'intérêt de la Naine, mais elle n'osa pas le signaler. Elle avait déjà fait preuve de curiosité en posant la question : il était communément admis qu'on n'interrogeait pas un grand prêtre. Si d'aventure on s'y risquait, cela signifiait qu'on prenait le risque de la réponse obscure, incompréhensible, ou pire, de la non-réponse.

Nihassah, le sachant, n'insista pas. « La gemme de Maza a refusé de fonctionner » constituait une réplique irréprochable : une phrase complète, même si le sens lui échappait.

WaNguira, comme s'il avait suivi le cours de ses pensées, précisa :

— Lutte de pouvoir. C'est le plus fort qui l'emporte.

L'expression du visage de Nihassah lui montra qu'il n'avait fait qu'empirer la situation. Il lui caressa affectueusement le bras tout en lui lançant un clin d'œil.

— Un jour, tu sauras, future WaNnihassah ! Je t'expliquerai, je te le promets.

La grande prêtresse à venir sursauta. C'était la première fois que WaNguira faisait aussi ouvertement allusion à son futur rôle. Bien sûr, il plaisantait, on ne pouvait devenir WaN qu'à la mort du précédent WaN. La coutume voulait qu'il n'y ait jamais plus de cinq WaN chez les Nains. Kodjo serait WaN un jour. Après la disparition de WaNdo…

« Puisse celle-ci survenir le plus tard possible ! » souhaita Nihassah en son for intérieur.

Le vieux Nain avait déjà suffisamment souffert dans sa vie, pendant son séjour sur Sondja. Il était temps qu'il profite un peu des douceurs de l'existence en compagnie de sa femme, de son fils qu'il n'avait pas vu grandir et de sa fille adoptive.

Maintenant, c'était Nihassah qui était partie à rêver et elle ne comprit pas tout de suite pourquoi Bandélé agitait ainsi la main devant son visage.

— Tu as changé d'idée? lui demanda-t-il en souriant. Tu ne viens plus chercher les Gnahorés?

Nihassah sortit prestement de la barque en prenant appui sur le bras tendu. Elle contempla un instant la vaste étendue de marais qui se déroulait sous ses yeux, se rappelant sa première traversée, si précautionneuse, avant d'embarquer sur le *Debuci*. Ce serait plus facile cette fois-ci…

9

Si Nihassah avait cru que la traversée des marais de Guguletu se déroulerait sans incident grâce à WaNguira et à sa gemme, elle se trompait.

En effet, c'était compter sans Loki, qui fonçait en avant, avançant en zigzag, sans aucun égard pour la surface traître des marais. Il batifolait d'une touffe de roseaux à l'autre, d'arbuste en arbrisseau, étudiant avec un air de pseudo-connaisseur la flore locale et expliquant à un Txabi qui n'écoutait pas, les caractéristiques de chaque plante.

WaNguira s'apprêtait à lui dire de faire attention, mais Loki disparut derrière des buissons. On le vit réapparaître beaucoup plus loin devant, puis on le perdit de vue de nouveau. Le grand prêtre estima que le Pookah ne risquait rien et qu'il se débrouillerait très bien tout seul. Mais à peine eut-il pensé cela qu'on entendit celui-ci hurler qu'il était prisonnier des sables mouvants, qu'il s'enfonçait et qu'il périrait *noyé-étouffé-absorbé-digéré.*

Alors que Nihassah se précipitait avec Bandélé pour l'aider, WaNguira les retint.

— Ça ne nous avancera pas beaucoup si vous vous enlisez vous aussi… Attendez un peu. Et d'abord, où est-il ?

Ce fut Doumbénény qui l'aperçut, assez loin devant, pataugeant pour se libérer de la succion du marais. Malheureusement, cette agitation attirait l'eau, rendant le milieu de plus en plus liquide. Quand ils parvinrent à sa hauteur, Loki était enfoncé jusqu'à la taille dans la vase sableuse.

Nihassah se demandait pourquoi le grand prêtre ne semblait pas plus pressé que ça de porter secours au Pookah. Il n'allait pas le laisser succomber, quand même ! Mais WaNguira, sans s'émouvoir, regardait Loki qui piaillait à fendre l'âme, comme un chiot enlevé à sa mère.

— Peut-être que si tu restais avec le groupe, de telles mésaventures n'arriveraient pas ! gronda le grand prêtre. Et si on te laissait te débrouiller, maintenant ?

— Je me noierai si vous ne m'aidez paaas…

— En es-tu bien sûr? Je suis curieux de voir ce qui se passera si on ne fait rien…

Nihassah retint un sursaut. Le grand prêtre allait-il leur ordonner de continuer leur chemin? Songeait-il réellement à ne pas porter secours au Pookah?

Avant qu'il ne donne un ordre auquel il faudrait obéir, Nihassah attrapa un bâton qui traînait là et le tendit à Loki en se couchant sur le sol. Puisque WaNguira ne voulait pas utiliser sa gemme pour chasser l'eau du trou dans lequel Loki s'agitait, elle emploierait un autre moyen.

— Couche-toi sur l'eau et laisse-toi flotter, ordonna-t-elle. Il faut nager, dans les sables mouvants, et non marcher. Sinon, tu t'enfonces encore plus. Alors, nage lentement et attrape le bout de ce bâton.

Loki, voyant qu'il avait réussi à émouvoir quelqu'un, s'allongea avec une telle ostentation qu'elle se demanda immédiatement s'il ne l'avait pas bernée. Avait-il vraiment couru un danger ou tout cela n'avait-il été qu'un jeu? Elle ne le saurait sans doute jamais…

Le Pookah, maintenant qu'il se sentait sauf, ou en passe de l'être, ralentissait encore sa nage. Nihassah, de moins en moins dupe, jeta un coup d'œil au grand prêtre par-dessus son épaule. Bras croisés, sourcils froncés, il contemplait la scène sans qu'aucune émotion ne transparût sur ses traits.

Le malheureux rescapé attrapa enfin la perche que lui tendait Nihassah et s'y agrippa. La Naine, devenue méfiante, résista de tout son poids à la traction imposée par Loki : il était bien capable de l'entraîner dans la poche de sables mouvants, simplement pour animer un peu plus la scène.

Il dut deviner sa pensée, car elle vit un éclair malicieux traverser son regard. Il accéda néanmoins au bord de l'eau et commença à se redresser en s'accrochant à un arbuste couvert de feuilles sèches pour s'aider.

— Non ! Pas lui ! intima WaNguira.

Mais il était trop tard. Les feuilles sèches prirent leur envol sous la forme d'une nuée de papillons tourbillonnant dans l'air.

— Les Mangeurs ! Les papillons carnivores ! lâcha Nihassah en se remettant debout. Fuyons !

Bandélé l'attrapa par la main et se mit à courir. Dans sa jeunesse, il avait eu affaire à ces dévoreurs de chair vive et il n'ignorait rien de leur cuisante morsure, qui vous enlevait un morceau de peau. Il fallait se sauver immédiatement, quitter le marais au plus vite.

Nihassah lui emboîta le pas, non sans s'être assurée que Loki était sorti du dangereux entonnoir dans lequel il était tombé. Sans pouvoir le certifier, elle lui trouvait un air un peu trop rieur et amusé pour un rescapé de la noyade. Décidément, les Pookahs seraient toujours fidèles à leur réputation… Elle prit ses jambes à son cou, on réglerait ça ensuite.

Mais sa course ne dura guère parce que, très vite, elle se rendit compte qu'il n'y avait plus de papillons.

— Je crois qu'on peut ralentir, lança-t-elle à Bandélé. On dirait qu'ils ne nous suivent pas.

— Moi, je ne m'arrêterai que lorsque je serai sorti du marais. C'est des voraces, ces bêtes-là. Ça te grignote tout vif! Et ça saigne pendant des heures, quand elles mordent.

— Mais elles ne nous suivent pas, je te dis!

Bandélé s'immobilisa et jeta un coup d'œil en arrière, imité par Nihassah.

— Oui, je comprends pourquoi. Elles sont après Doumbénény!

— Oh! C'est à cause de ses vêtements. La couleur les attire.

— Quelle idée, aussi, de s'attifer ainsi…

Les deux Nains regardaient leur compagnon se débattre au milieu d'une nuée de papillons. Loki bondissait en lui assenant force claques pour tuer les insectes. Txabi, lui, les mangeait. Nihassah et Bandélé ne purent s'empêcher de sourire en voyant Doumbénény qui s'apprêtait à se débarrasser de ses habits trop voyants pour échapper aux morsures.

Ils se demandaient si c'était une bonne solution d'exposer directement la peau, si sombre fût-elle, pour supprimer l'effet attracteur de la couleur. Puis, sans transition, ils éclatèrent de rire en voyant les épaisseurs successives ôtées par le Gnahoré pour se déshabiller. Il portait plusieurs tenues les unes sur les autres, chacune plus décolletée que la précédente.

Sous l'ample toge qui couvrait le tout, il arborait une chemise à manche longue, une à manches courtes, une sans manches, puis deux chemisettes à bretelles, ces dernières très larges pour la première, très fines pour la seconde. Même chose pour la partie inférieure du corps, les slips succédant aux caleçons sous les pantalons. Tout cela vivement coloré, bien entendu.

— Mais il en a combien comme ça ? demanda Bandélé.

— En tout cas, il a l'air plus rempli quand il est vêtu. Regarde comme il est maigre ! Tu crois qu'il est malade ? Ou bien c'est la mode, chez les Gnas, cette minceur ? Et ce drôle de pantalon sans jambes, qui ne protège pas les cuisses...

Nihassah et Bandélé, habitués à la simplicité du costume nain, n'en revenaient pas et observaient avec une avidité amusée ces parures d'un nouveau genre. Mais quand ils virent WaNguira jeter sa cape sur Doumbé-nény, ils comprirent que le danger persistait. Ils reprirent leur course en riant d'autant plus que Loki, sous prétexte de réparer le mal qu'il avait causé, agitait maintenant dans tous les sens le morceau de bois que Nihassah lui avait tendu, en manquant chaque fois d'assommer ses compagnons.

WaNguira, excédé par une morsure doulou-reuse, attrapa brutalement le bâton et, s'aidant de son genou, le cassa en deux.

— Toi, tu files! Ça suffit comme ça!

Loki, satisfait du résultat, adopta immédiate-ment l'air innocent de celui qui ne comprend pas pourquoi on le réprimande.

— Puisque c'est ainsi, on s'en va! Viens, Txabi, ils se débrouilleront sans nous! Hé! hé!

Il rattrapa Nihassah et Bandélé et les dépassa, tout en émettant un étrange bourdonnement qui eut pour effet, après un court instant, d'attirer les papillons.

La nuée abandonna Doumbénény pour se lancer à la poursuite de Loki qui était déjà loin devant.

— Tu as vu comme il court vite? observa Nihassah. On dirait qu'il plane.

— Ses pieds effleurent à peine le sol... Couche-toi!

La nuée passa en vrombissant sur les deux Nains pour suivre le Pookah bourdonnant. Il filait à toute vitesse et on devinait son trajet plus qu'on ne le voyait, grâce au mouvement des plantes.

WaNguira et Doumbénény, ensanglantés tous les deux, rejoignirent Nihassah et Bandélé, et tous les quatre se dépêchèrent d'abandonner ces lieux périlleux.

— Ça faisait longtemps qu'on n'avait pas eu à se plaindre des Mangeurs! commenta Bandélé.

— Ils n'attaquent que si on les dérange, tu es bien placé pour le savoir! répondit WaNguira. Si tu ne les avais pas arrosés avec ton urine quand tu étais petit, ils ne t'auraient jamais mordu. Et là, c'est Loki qui s'est agrippé à leur arbuste…

— Il aurait fait exprès qu'il n'aurait pas mieux réussi son coup! déclara Nihassah. Heureusement qu'il nous en a débarrassés…

— Les Pookahs font toujours exprès! affirma WaNguira. Le hasard n'existe pas, avec eux. Du moins ai-je de plus en plus de mal à y croire…

Puis il ajouta, en tendant ses vêtements à Doumbénény:

— Tiens, tu peux te rhabiller maintenant, si tu t'y retrouves. Moi, je ne saurais jamais

dans quel ordre enfiler toutes ces fanfreluches !

— Ce ne sont pas des «fanfreluches»! se
défendit le Gnahoré. Ces tissus sont très fins :
c'est pourquoi il faut en mettre beaucoup. Il
suffit de respecter les couleurs : on les passe du
plus clair au plus foncé !

— Ce n'est pas tout à fait ce que je quali-
fierais de «foncé», s'amusa WaNguira en
indiquant le vêtement du dessus, d'un écla-
tant vermillon. Mais ce n'est jamais qu'une
question d'opinion…

En approchant des collines, les Nains se
mirent tout naturellement à la qucue leu leu,
tous les sens aux aguets. Des siècles de relations
avec les Hommes leur avaient appris qu'il valait
mieux se montrer prudent, en ces jours plus
que jamais… Un piège était toujours possible
et leur méfiance naturelle ne les avait jamais
desservis.

Sans se consulter, ils s'arrêtèrent avant d'arriver aux grottes, examinant soigneusement
les alentours et en tirant simultanément les
mêmes conclusions.

— Ce ne sont pas les empreintes qui manquent… constata Nihassah. Soit ils étaient
nombreux, soit ils sont venus plusieurs fois…

— Je vais voir comment se présente l'entrée
principale, avertit WaNguira. Attendez-moi ici.

Il se faufila rapidement entre les buissons, invisible sous sa cape qui se confondait avec le paysage. Nihassah se fit la réflexion qu'il avançait comme Loki.

— On a l'impression que ses pieds ne touchent pas terre, souffla-t-elle à ses compagnons. J'ai même du mal à le distinguer dans le feuillage…

— Hé! hé! Il est invisible! Comme moi! murmura Loki dans le dos de Nihassah, faisant sursauter tout le monde.

Bandélé et Doumbénény effectuèrent immédiatement un mouvement de repli afin de s'éloigner du Pookah. Ils ne se rapprochèrent que lorsqu'ils eurent vérifié qu'aucun Mangeur ne voletait autour de lui.

— Hi! hi! Ils n'ont plus faim! Je les ai nourris. Il y avait des Hommes devant l'entrée de votre grotte… La voie est libre maintenant!

Les trois compagnons ouvrirent en même temps la bouche, retenant le « Oh! » de stupéfaction qui leur montait aux lèvres. Ainsi, les Hommes s'enhardissaient jusqu'à oser traîner sur le territoire des Nains! Pour les capturer, peut-être? Qu'est-ce qui les rendait aussi vindicatifs? La disparition de leurs semblables sur Sondja? Ou celle de leur main-d'œuvre kikongo? Les deux hypothèses étaient sans doute valables…

WaNguira revenait, l'air soucieux.

— Il n'y a personne pour l'instant, mais il y a eu du monde, et il y en aura sans doute encore. Des Hommes, je précise…

On l'informa des nouvelles apportées par Loki.

— Ils ne craignent donc plus l'obscurité? observa Nihassah. Comment se déplacent-ils, à l'intérieur? Les torches, ça brûle un moment, mais ça s'éteint, ensuite. Vu le réseau de galeries à explorer…

— Je ne suis pas sûr qu'ils pénètrent très loin à l'intérieur, objecta WaNguira. De toute façon, ils ne connaissent pas les diverses issues. Nous pouvons quand même nous y installer en utilisant chaque fois une ouverture différente pour nos allées et venues.

— Étant donné qu'il n'y en a que trois, on n'a guère le choix, constata Bandélé. Et si on allait dans le *grenier*?

— Avec une seule issue pour entrer et sortir? objecta Nihassah. On risque davantage de se retrouver pris comme des rats en cage… Je préfère garder l'espoir qu'en cas d'attaque, je pourrai me sauver. Surtout à l'intérieur, d'ailleurs…

WaNguira réfléchissait.

— Nous avons certainement plus de chances de les vaincre dedans que dehors. L'obscurité est un handicap pour eux mais un avantage pour nous. Et si nous entrons maintenant, ils ne devineront même pas que nous y sommes.

— Et pourquoi n'irions-nous pas en ville tout de suite? suggéra Doumbénény. On saurait promptement à quoi s'en tenir…

— À condition que tu trouves encore un Nain qui accepte de te répondre… objecta WaNguira. Sinon, tu auras vite fait de rejoindre tes amis dans leur prison, s'ils ont été enlevés. Assurons-nous déjà que les cavernes sont vides. Peut-être qu'il y a des réfugiés à l'intérieur…

Ce dernier argument l'emporta d'autant plus rapidement que les Nains entendirent des voix émettant force jurons qui se rapprochaient. Ils se précipitèrent dans la grotte et n'eurent que le temps de disparaître dans la pénombre.

— Saletés d'bestioles! tempêtait une voix. D'habitude, ça vit dans les marais, ces machins! Qu'est-ce qui a pu les attirer jusqu'ici?

— Sans doute ta puanteur, Moribond! répondit une autre voix. Preuve qu'un bain de temps en temps, ça fait du bien à son Homme!

— Moi, je m'demande c'qu'on fiche encore ici… s'énerva une troisième voix. Ya pas un poil de Nain dans les parages…

— Ils sont ptète dedans… reprit la première voix.

— Et qui t'dit qu'ils sortiront? Ça continue très loin sous terre, ces tunnels, puisqu'ils y vivent. Et s'il y a une sortie à un autre bout, on a l'air bête, quand même…

— T'as raison, approuva la deuxième voix – celle de Moribond. On fait le guet pour rien depuis des semaines. À mon avis, on a capturé tous les Nains de Shango, Bamako et des environs…

— Une chose est sûre, Nains ou pas Nains, je n'mettrai pas les pieds à l'intérieur, même avec une dizaine de torches, reprit la troisième voix. Je n'supporte pas d'être enfermé.

— Tu crois qu'ils le supportent, eux, là où ils sont? se moqua Moribond. Il a eu une fameuse idée, Ganelon! Les cachots souterrains, ce n'est pas fait pour les Nains, puisqu'ils creusent. Tandis que là…

La discussion continua un moment, les Hommes ne se doutant pas qu'ils étaient espionnés par quatre paires d'oreilles attentives. Malheureusement, leur conversation dévia sur le jeu, les avantages comparés des dés en bois, en pierre et en os, et ils n'émirent aucune autre information intéressante.

WaNguira fit signe à ses compagnons de le suivre plus avant dans la galerie. Ils s'enfoncèrent assez profondément pour se mettre hors d'écoute et se retrouvèrent dans une vaste caverne qui avait été agrandie quand les trois tribus, chassées des monts d'Oko, y avaient cherché asile.

Doumbénény regardait autour de lui, peinant à reconnaître les lieux qu'il avait quittés bien avant l'arrivée des Pongwas, des Lisimbahs et des Affés.

— Vous avez fait un sacré travail de soutènement ici! s'exclama-t-il. Nous, on avait presque renoncé: ça menaçait toujours de s'effondrer.

— Il n'est pas dit que ça défiera les siècles, corrigea WaNguira. Mais nous n'avions guère le choix… Il ne fallait pas que le grand Abomé se doute du nombre de vers de terre qu'il hébergeait, si près des Hommes.

Puis il ajouta, pensif:

— N'empêche, je me demande où il est, maintenant. Où ils sont, tous…

— Prisonniers, d'après les dires des trois guetteurs. Quel malheur! Quel grand malheur! Misère de misère, qu'adviendra-t-il de nous?

Sur ce, Doumbénény commença à se lamenter. WaNguira, qui connaissait son jeu de scène, l'observait assez froidement. Nihassah calqua son attitude sur la sienne, un peu interloquée par les pompeuses jérémiades du frère gnahoré.

La même question lui trottait à l'esprit, lancinante : si tous les Gnahorés étaient prisonniers, il faudrait les délivrer, bien sûr. Mais où ce Ganelon les détenait-il ? Les trois sbires n'avaient pas précisé le lieu de détention et elle se creusait la tête pour essayer de deviner celui-ci.

— On peut toujours se restaurer et se reposer un peu, proposa Bandélé. Il doit sûrement rester des provisions dans les caches, si aucun animal n'est passé par là…

— Je vais faire un tour pendant ce temps, annonça WaNguira, afin de m'assurer qu'il n'y a personne.

* * *

Le grand prêtre parcourut les deux autres galeries, qui possédaient une ouverture sur l'extérieur. Il s'aperçut avec plaisir que seule l'entrée principale était gardée. Les Hommes ignoraient sans doute cette règle de base du peuple nain : *Les souterrains, c'est bien, plusieurs issues, c'est mieux !*

Visiblement, les galeries avaient été désertées depuis un moment déjà, constata WaNguira en étudiant la fine couche de poussière qui s'était déposée sur les empreintes anciennes. Il repassa par la caverne dans laquelle Bandélé, aidé de Nihassah, s'activait à préparer un repas avec les réserves dénichées dans une cache.

Doumbénény, curieusement, s'intéressait toujours aux travaux de soutènement qui avaient été effectués. WaNguira se rappela au passage qu'il aimait bien travailler le bois et qu'il avait été bon charpentier avant d'entamer sa carrière… d'acteur! Tel fut le mot qui lui vint à l'esprit et il sourit. Il s'engagea dans le boyau le plus profond, tout en prévoyant qu'il n'irait pas très loin, à cause des risques d'effondrement.

À sa grande surprise, les Nains avaient œuvré, là aussi, à consolider les parois: ils avaient d'ailleurs pénétré assez loin. WaNguira parvint à un endroit où le plafond s'était effondré: cela lui rappela la galerie de Lendo-Lendo, dans laquelle les siens avaient envisagé de s'installer avant d'arriver aux collines, immédiatement après avoir fui les monts d'Oko. Il eut une pensée pour Patxi et Maïalen. C'était là qu'il les avait rencontrés et qu'il avait appris le sort tragique des Kikongos.

Il s'assit, étonné du désir qui naissait en lui: il avait envie de revoir Patxi.

— Je suis là, grand prêtre.

10

Si WaNguira n'avait pas été un grand prêtre respectable, il se serait évanoui. Mais sa dignité l'en empêchait. Surtout en face d'un Salamandar... Il était cependant trop stupéfait pour articuler une phrase quelconque.

Patxi, compréhensif, enchaîna :

— Je pensais bien que vous finiriez par venir...

— Vous êtes seul ? demanda WaNguira, se préparant mentalement à entendre Maïalen lui répondre avec une pointe d'ironie dans la voix.

— Oui, bien sûr, l'assura Patxi.

Un silence s'ensuivit. Les souvenirs affluaient dans l'esprit de WaNguira, accompagnés de ses récentes interrogations personnelles : les Salamandars, amis ou ennemis ?

— Txabi va très bien, réussit-il à articuler, afin de meubler la conversation.

— Je sais, je viens de le voir. Il est en pleine forme. Et votre petite Gaïg?

— Elle se porte bien elle aussi, je vous remercie.

Le silence régna de nouveau. WaNguira, désorienté, ne savait quoi ajouter à cette conversation on ne peut plus polie et anodine. Dire qu'un instant auparavant, il avait eu envie de revoir Patxi... Et maintenant? Sur quel sujet pouvait-il dialoguer avec lui, en dehors de ces paroles superficielles, par trop remplies des convenances habituelles? Un échange plus profond était-il possible entre eux?

Le Salamandar le fixait avec un air que le grand prêtre qualifia de «narquois», sans en être tout à fait sûr. Il s'interrogeait sur la raison de sa propre gêne. D'habitude, c'était lui qui intimidait les gens. Il cherchait sans succès un sujet de conversation; malheureusement, son esprit, sans doute rebelle à toute tentative d'amitié avec un Salamandar, demeurait désespérément vide.

Patxi le regardait, sans émettre le moindre son, sans tenter d'améliorer la relation. WaNguira, perplexe, essaya de sonder ses pensées. Mais il se heurta à un mur. Soit le Salamandar ne pensait rien, soit, ce qui était plus probable, il faisait écran à l'intrusion du grand prêtre dans son mental. Trop intelligents, ces êtres-là, pour avoir l'esprit vide en face de quelqu'un, conclut WaNguira. Quand ils étaient seuls, peut-être. Mais là, non.

La résistance opposée par Patxi à la lecture de ses pensées constitua l'élément déclencheur qui remit en place les idées de WaNguira.

— Et alors ? lança-t-il avec un rien de provocation dans le ton. Vous vous sentez bien, dans les monts d'Oko ? Maintenant, les collines sont vides, elles aussi…

Patxi ne releva pas tout de suite l'insinuation. N'éprouvant pas, ou si peu, de sentiments, la causticité de la dernière phrase ne lui apparut pas immédiatement. Mais il n'était pas assez naïf pour croire que les paroles du grand prêtre étaient émises en l'air et dénuées d'importance. Chez lui, la finesse de l'analyse palliait l'absence de sentiment et il ne se trompait pas quand il tirait des conclusions d'ordre psychologique sur l'état mental de son interlocuteur.

Les Salamandars avaient définitivement renoncé à la guerre, ils n'en éprouvaient pas la nécessité. Leur vie, volontairement simplifiée au point de se trouver réduite à la satisfaction des besoins biologiques, leur plaisait ainsi. Ils s'amusaient parfois à élaborer des théories extrêmement poussées sur ce qui se serait passé *si…*, mais même ce jeu, ils n'y étaient pas outre mesure attachés. Ils pouvaient aussi bien demeurer un grand moment avec l'esprit calme, sans la moindre agitation. Cet atavisme expliquait sans doute pourquoi Patxi répondit sur un ton tout à fait neutre, dépourvu d'agressivité :

— Oh, nous ne sommes pas plus dans les monts d'Oko qu'à Sangoulé ou dans les collines… À vrai dire, nous nous promenons. Certains d'entre nous s'aventurent même chez les Hommes…

« On y arrive ! se dit WaNguira. Que va-t-il encore m'apprendre ? Parce que ce n'est pas par hasard qu'il est là, c'est évident. Il ne peut s'agir de Gaïg, cette fois. Ni des Kikongos. Alors ? Les Gnahorés ? »

— Je voulais vous parler de vos frères, grand prêtre. Nous savons où ils sont…

WaNguira se raidit immédiatement, il devint pierre, se préparant au pire.

— Ils ne sont plus à Shango et à Bamako ? articula-t-il lentement pour se donner le temps de se reprendre en vue de ce qui suivrait.

Pourquoi fallait-il que ce fût toujours Patxi le porteur des informations capitales concernant son peuple ? Est-ce que cette dépendance s'inverserait un jour ? Les Nains viendraient-ils en aide au Salamandars ? Juste une fois, simplement pour ne plus être leurs obligés, pour créer une égalité dans la relation…

Mais il était dit que ce moment n'était pas encore arrivé puisque Patxi poursuivait.

— Il n'y a plus un seul Nain en liberté sur la côte.

En annonçant cela, Patxi observait attentivement WaNguira, curieux des émotions qui ne manqueraient pas de se manifester. Il était étonné de l'intérêt qu'il portait aux Nains et à ces fameux « sentiments » que les autres espèces éprouvaient et qui lui étaient inconnus.

Mais WaNguira, grâce à une longue pratique de la concentration, ne constituait pas un bon sujet d'étude pour Patxi. En dominant ainsi son trouble, il ne lui facilitait pas la tâche. Patxi aurait aimé une perte de contrôle, il aurait voulu assister à une crise de nerf, d'hystérie, de folie, même, avec cris et larmes. Il s'était toujours senti un peu frustré par l'attitude des Nains en cas d'urgence : ces petites personnes, à quelques exceptions près, n'étaient pas assez nerveuses à son gré.

Il les avait souvent observés dans leurs cavernes, tapi dans un coin, parfois simplement aplati contre le plafond, invisible pour l'œil le mieux exercé. Non seulement aucun des habitants ne pensait à regarder en hauteur mais, de surcroît, Patxi, dans un mimétisme impeccable, devenait roche lui-même, afin de mieux disparaître.

Une fois de plus, il espérait une réaction de WaNguira calquée sur celle des Hommes – très démonstratifs, en revanche. Ils en faisaient peut-être même un peu trop… – et il fut déçu.

WaNguira, égal à lui-même, attendait la suite sans montrer d'impatience. Il était anxieux, bien sûr, et désirait de tout cœur apprendre le sort dévolu à ses frères, mais il n'en laissait rien paraître. Cette attitude n'était même pas calculée : elle lui était devenue naturelle face à, sinon l'ennemi, tout au moins l'étranger. Bien que bouillant d'impatience en son for intérieur, il se tenait coi.

« Nous pourrions être "amis", songea Patxi, laissant tomber sa garde, il m'apprendrait… »

WaNguira, dans son état de vigilance accrue, capta au vol la pensée émise, mais au lieu de se pencher sur son contenu, il se contenta de répondre par le même moyen : « Tiens, il vous arrive donc de partager vos pensées… »

Patxi se ressaisit sur le champ. Que lui arrivait-il, pour s'abandonner ainsi ? En employant ce vocabulaire étranger, de surcroît ?

Un chassé-croisé se produisit alors : au moment où le sens de la phrase émise pénétrait dans le cerveau du grand prêtre, l'ouvrant à la possibilité d'une relation amicale entre eux,

Patxi, face à la réplique obtenue, se rendait compte de son égarement. Les Salamandars n'avaient pas « d'amis ». L'amour, l'amitié, tous les sentiments qui animaient les autres êtres vivants n'existaient pas pour eux.

Dégrisé, ce fut d'une voix froide qu'il reprit la parole.

— Ils sont détenus dans le phare de Bamako. Tout en haut.

Puis il ajouta avec, tout au moins WaNguira l'interpréta-t-il ainsi, une certaine délectation vengeresse :

— Ils vont mal. Ils ont le vertige.

Cette fois-ci, le coup porta. WaNguira s'appuya discrètement contre la paroi de la galerie, mais son mouvement n'échappa point au Salamandar qui se réjouit. Il avait réussi à provoquer une « émotion » chez le Nain et il étudiait l'effet produit.

Mais le grand prêtre se reprit rapidement. Le bouleversement n'était pas de mise, il n'allait pas endosser le rôle d'un Doumbénény se répandant en lamentations. Il fallait réfléchir au moyen de tirer ses frères de ce mauvais pas. Son esprit y travaillait déjà, tandis qu'il répondait au Salamandar.

— Merci pour le renseignement. Les Nains vous sont redevables, une fois de plus, pour cet acte de générosité. J'espère que nous serons à même de vous rendre la pareille, un de ces jours.

— J'espère que non, répliqua aussitôt Patxi. Car cela signifierait que nous sommes prisonniers…

— Certes, vu ainsi… Mais ce n'est pas ce que je voulais dire.

— J'avais bien compris, grand prêtre. Ne vous inquiétez pas pour ça. Je m'en vais, maintenant.

— Au revoir, Patxi. Et merci encore…

Comme la première fois, le Salamandar dut faire un effort pour prononcer le « Au revoir, WaNguira » qui conclurait définitivement la conversation. Il y parvint, sans pouvoir empêcher cette simple phrase de déclencher une avalanche de questions dans son esprit. Ce Nain était bien le seul être au monde qui ne fût pas Salamandar et qu'il appelait par son prénom. Pourquoi ?

Patxi se délectait à l'idée des cogitations à venir. Peut-être les partagerait-il avec Maïalen… Elle était brillante, même si elle ne comprenait pas toujours ce qu'il éprouvait. De son côté, il lui laissait entrevoir une autre façon d'être, très peu en accord avec les habitudes de pensée de ses semblables.

Dans le présent, Maïalen continuait, comme lui autrefois, à échafauder des théories, entre autres sur l'entrave à la liberté générée par les sentiments. Quand ceux-ci devenaient passionnels, l'individu abandonnait toute maîtrise de soi et accomplissait des actes dénués de fondement. Elle refusait de perdre la tête au profit du plaisir éphémère engendré par la folie d'une action inhabituelle – ce qui l'obligeait cependant à réprimer son extravagance naturelle.

Pourtant, ce qui caractérisait Patxi, à ses yeux, et la captivait, c'était cet aspect mutant. Il était le premier Salamandar à éprouver ce qui, de loin, s'apparenterait le plus à la notion de sentiment. Elle n'ignorait pas qu'il en était lui-même étonné et s'interrogeait beaucoup sur ces plaisirs d'un genre nouveau qu'il expérimentait après avoir accompli certains actes.

Il lui avait avoué qu'il trouvait WaNguira intéressant. Même si, parfois, son vieux fond salamandar reprenait le dessus et qu'il agissait dans la logique de ses semblables. Par exemple, dans le cas présent, bien qu'ayant informé le grand prêtre du lieu de détention de ses frères et de leur malaise, il ne lui avait pas fait part des projets des Hommes à leur égard.

11

WaNguira, ayant rejoint ses compagnons, leur avait communiqué les dernières nouvelles.

— Dans le phare de Bamako! s'était exclamé Doumbénény. Mais c'est très haut, là-haut! Ils ne survivront pas!

— N'exagérons pas! l'avait quant même réconforté WaNguira. C'est haut, c'est sûr, mais on n'en meurt pas.

En effet, en tant que Nain, il compatissait, malgré la réserve éprouvée envers les jérémiades de Doumbénény, à la douleur endurée par ses frères: leur peuple était sujet au vertige.

Les Nains n'étaient guère rassurés quand ils se trouvaient à découvert au milieu de vastes étendues de savanes, mais ils arrivaient à maîtriser leurs réactions. Tandis que l'altitude provoquait chez eux, en plus du malaise mental, nausées et migraines.

Habitués à l'espace restreint des grottes dans lesquelles ils se sentaient enveloppés et protégés comme dans un cocon douillet, ils ne supportaient pas de se déplacer en hauteur. Ils avaient l'impression que le vide, au-dessus d'eux, les appelait et qu'ils seraient aspirés par l'immensité du ciel.

Curieusement, sous terre, aucune crevasse, si profonde fût-elle, aucune caverne, si haute fût-elle, ne les effrayait. Mais l'Air, comme l'Eau, comme le Feu, n'était pas un élément ami : la Terre, exclusive, ne s'accommodait d'aucune compatibilité.

WaNguira connaissait tout cela et, s'il avait, de par sa formation de grand prêtre, appris à retarder l'apparition du vertige, il savait que, tôt ou tard, la migraine surgirait, accompagnée des inévitables nausées. Il songea à Bélimbé qui avait si bien apprivoisé l'Air sur le *Sibélius*, fasciné qu'il était autant par les voiles immaculées que par les oiseaux marins planant dans l'immensité de l'azur. Demeurer au sommet du phare de Bamako n'aurait pas représenté une épreuve pour lui. Mais comment cela se passait-il pour les Gnahorés ? Mal, selon Patxi…

Si le dénommé Ganelon les y maintenait prisonniers, c'était parce qu'il considérait le lieu comme sûr, sans évasion possible. Mais comment avait-il eu connaissance de cette faiblesse propre aux Nains? Qui sait, peut-être par Abomé lui-même...

WaNguira pensa que l'Abominable ne brillait pas par son intelligence, et il s'en voulut aussitôt de cette réflexion désobligeante. Mais la réalité se posait là, il ne pouvait la nier.

Qu'adviendrait-il de la tribu? Elle était déjà divisée, et avec Abomé à sa tête, il y avait peu de chance pour que la concorde règne de nouveau. Certes, les Gnahorés pouvaient procéder à l'élection d'un nouveau chef, s'ils le désiraient. Sauf que les membres du *Chemin des rebelles nostalgiques* prétendaient se passer de numéro un.

Pour la première fois, WaNguira se demanda si la présence d'un meneur officiel et responsable était nécessaire. Après tout, les Kikongos avaient réussi à vivre sans autorité supérieure, sur Sondja. Il se souvenait de Thioro lui racontant, juste avant d'être elle-même élue par les siens, comment les Hommes supprimaient les chefs qu'ils nommaient. Ils avaient finalement renoncé à en avoir et s'étaient débrouillés sans cette importante figure de la hiérarchie. Alors, pourquoi pas les Gnahorés?

De toute façon, la question ne se posait pas dans l'immédiat. Il fallait d'abord trouver un moyen de libérer les prisonniers du phare et WaNguira n'avait aucune idée de la façon dont il procéderait.

* * *

Bandélé offrit de se restaurer et tous acceptèrent avec empressement. Peut-être que l'un d'entre eux suggérerait une solution, songea WaNguira.

Doumbénény se lamentait en joignant les mains dans un geste de prière dédié à n'importe qui sauf à Mama Mandombé puisqu'il ne la nommait jamais, mais il ne proposait rien. Nihassah se creusait la tête, mais elle ne voyait pas comment on pouvait pénétrer dans un phare qui ne comportait qu'une seule ouverture à la base, sans doute sévèrement gardée. La perspective de l'escalier en colimaçon ne l'effrayait pas mais l'idée de se retrouver, une fois parvenue au sommet, suspendue entre ciel et terre, lui donnait le frisson.

Bandélé, histoire d'avoir l'air aussi préoccupé que sa douce amie, se concentrait sur le repas. Il était prêt à aider, bien sûr, mais à condition qu'on lui dise ce qu'il devait faire. Il ne fallait pas lui demander de réfléchir, il était tout simplement incapable de fonctionner dans l'abstrait.

Cette inaptitude ne lui posait aucun problème d'estime personnelle puisqu'il considérait, avec juste raison, que son peuple était avant tout un peuple de travailleurs manuels. Des forgerons, des orfèvres, des artisans, voilà ce qu'ils étaient en grande majorité. Certains, parmi eux, avaient plus de facilité que les autres dans le domaine de l'intellect. Nihassah appartenait à ce groupe, et WaNguira également. Ils pensaient pour leurs frères, donc ils finiraient par trouver une solution, et Bandélé entrerait en scène à ce moment-là.

Fabriquer une échelle, par exemple, il en était capable. Mais ce n'était pas tout, de réaliser l'objet : il faudrait y grimper, ensuite. Enfin, peut-être qu'il y aurait un volontaire… Et puis peut-être qu'on n'aurait même pas besoin d'y monter : les Gnahorés, en voyant l'échelle, comprendraient qu'elle leur était destinée et s'évaderaient. Sa pensée s'arrêtait là.

— Une échelle ? suggéra-t-il entre deux bouchées.

— Et tu te rendras invisible pour traverser les rues de Bamako avec elle ? objecta Nihassah.

— Il ne faut même pas songer à entrer dans la ville, rectifia WaNguira. Dès que ce Ganelon aura eu vent de notre présence, il nous fera emprisonner.

— Et si on se laissait capturer, justement ? proposa Nihassah.

— J'y ai pensé. Mais à quoi ça nous avancerait ? Ils nous fouilleraient avant de nous enfermer, de toute façon.

« On n'est pas obligés d'être tous prisonniers, émit Nihassah en pensée à l'intention du grand prêtre. Un seul d'entre nous suffirait, s'il peut communiquer avec l'extérieur et transmettre des informations. »

WaNguira leva un sourcil, signe de réflexion chez lui, avant de répondre, par le même moyen :

« Trop aléatoire. Je préférerais une solution plus concrète. »

— On peut se donner cette nuit pour réfléchir et on avisera demain, suggéra la future grande prêtresse à haute voix.

— Dans l'immédiat, on n'a guère d'autre choix, approuva Bandélé.

— Mais où sont passés Loki et Txabi ? interrogea Nihassah en parcourant les alentours des yeux. Ils ont disparu…

— Je suppose qu'ils explorent les profondeurs, répondit WaNguira, puisque Patxi avait déjà rencontré Txabi. Peut-être que celui-ci est parti à la recherche de sa mère…

— Tu crois qu'il resterait avec elle ? Je me demande ce que Gaïg en penserait… Elle a dû se tourmenter en ne le trouvant pas sur l'île…

— Oh, en s'apercevant de la disparition de Loki, elle aura vite compris, ne t'inquiète pas. Et s'il décide de demeurer avec les siens, que peut-elle souhaiter de mieux? Mais je crois sincèrement que Txabi a surtout envie d'accompagner Loki dans ses pérégrinations. Certains Salamandars, comme certains Pookahs, ont le goût de l'aventure…

* * *

La nuit se passa sans incident, et aussi sans apporter de solution. Le petit matin retrouva les quatre Nains dans le même état: Nihassah et WaNguira réfléchissant activement en quête d'une marche à suivre, Bandélé attendant leurs propositions et Doumbénény geignant sur le malheur d'être Nain.

— Mais qu'est-ce que tu aurais voulu être? avait demandé Bandélé, rendu perplexe par cette idée inattendue.

— Un Homme, par exemple. Ainsi, je ne courrais pas le danger d'être attrapé et enfermé…

— Parce que tu crois que les Hommes ne se capturent pas entre eux, peut-être? avait interrogé WaNguira. Si c'est le cas, à quoi leur servent les cachots du Gouffre-sans-retour?

Doumbénény était demeuré muet devant l'évidence.

— En tout cas, les choses auraient été plus faciles pour nous si nos frères s'y trouvaient! avait commenté Nihassah. Au moins, on saurait comment s'y rendre sans passer par la surface. Si ce n'était pas si loin du phare, on aurait peut-être pu creuser un tunnel reliant les deux…

— À condition qu'on les garde là-haut suffisamment longtemps pour qu'on ait le temps de creuser… avait objecté WaNguira.

Puis, Doumbénény et Bandélé s'étant éloignés, Nihassah avait chuchoté au grand prêtre:

— Tu pourrais essayer de communiquer avec WaNkoké…

— J'ai fait plusieurs tentatives cette nuit. Mais je me suis heurté à des ondes de peur et de maladie. Il faut avoir l'esprit vide, pour être réceptif…

— Et avec quelqu'un d'autre?

— Même résultat. Sont tous terrorisés, là-haut. Le seul qui m'ait semblé accessible, c'est Étibako, bien qu'affaibli et effrayé lui aussi. Il n'arrêtait pas de répéter «Ils nous ont enfermés. Nous ne pouvons pas sortir.» Je n'ai pas insisté.

Sans transition, prise d'une impulsion subite, Nihassah avait proposé une visite du *grenier*.

— C'est une sortie sans danger. On verra ce qu'il renferme d'intéressant…

— Si tu veux, avait soupiré WaNguira en se levant. Ça va nous aérer un peu, au moins pendant le temps du trajet. Je prends goût au grand air, sur mes vieux jours…

Tous les deux se dirigèrent vers l'issue secondaire la plus proche du grenier. Ils attendirent prudemment un moment avant de se risquer à l'extérieur.

« Il nous faut faire très attention, avertit Nihassah sans prononcer un mot. Peut-être que les guetteurs font des rondes…

— Tu n'as qu'à te rendre invisible ! » s'amusa WaNguira.

Comme Nihassah, égayée, l'interrogeait du regard, il poursuivit, comme si c'était la chose la plus naturelle du monde : « Tu choisis, dans le décor ambiant, ce que tu veux être. Quelque chose qui n'attire pas le regard. Une pierre, une feuille, un arbre… Où un animal, si tu veux te déplacer…

— Un oiseau. Je veux être un oiseau, s'emballa Nihassah. Une chouette !

— Une chouette, en plein jour, bravo pour la discrétion ! se moqua WaNguira. Et pourquoi pas un poisson volant ?

— Une pie ? corrigea Nihassah, confuse.

— C'est mieux ! Tu vides ton esprit de toute pensée, pour ne pas émettre le moindre signe de présence, si subtil soit-il. Ferme les yeux. »

Il laissa passer un instant, le temps pour Nihassah de calmer ses pensées, avant d'ajouter :

« Ensuite, tu imagines une pie, tu la visualises, puis tu t'identifies à elle jusqu'à en devenir une. Alors, tu es une pie, avec un bec et des ailes, des plumes noires et blanches, et deux pattes. Regarde-moi. Je suis une pie. »

Nihassah releva à moitié les paupières et lui jeta un regard sceptique. Puis elle écarquilla les yeux : là où WaNguira lui parlait, un moment auparavant, se tenait une pie, qui sautillait, l'œil rieur.

Nihassah, subjuguée, essaya. Est-ce qu'elle pourrait voler, aussi ? Mais comment faisait-on ? Quelle idée avait-elle eu de choisir une pie, alors qu'il y avait sans doute des transformations plus aisées. Elle chercha en quoi d'autre elle aurait pu se métamorphoser, étudiant les avantages et les inconvénients des différents animaux.

« L'esprit est l'animal le plus difficile à maîtriser ! C'est un cheval fougueux qui ne tient pas en place ! » entendit-elle dans sa tête.

Nihassah se reprit immédiatement. D'abord, faire le vide, ne penser à rien. Ensuite, visualiser une pie, puis imaginer qu'on est cette pie. Mais une pie dans quelle situation? Picorant des graines sur le sol? Des insectes? Voletant de branche en branche? Volant? Planant? Est-ce que ça planait, les pies? Comme les rapaces, avec majesté?

« Et voilà, c'est reparti! avertit WaNguira. Tu as trop d'imagination! »

Nihassah sursauta. Elle s'était encore laissée aller à rêver.

« Mais c'est difficile, de ne penser à rien.

— C'est par là qu'il faut commencer, pourtant. Comment veux-tu remplir une tête qui est déjà pleine? Tu dois te concentrer pour vider ton esprit de tout ce qu'il contient. Tu t'entraîneras et tu réussiras. Allez, viens, on y va, même si tu n'es pas une pie. On avancera comme des Nains à l'extérieur… »

Ils sortirent de la galerie à pas de loup et se dirigèrent vers le *grenier*, tous les sens en éveil. Ils distinguèrent très vite les empreintes des Hommes sur le sol. « Décidément, ils n'ont rien laissé au hasard, pensa Nihassah. Ils sont venus par ici également! »

Arrivés à la clairière dans laquelle s'ouvrait le *grenier*, ils eurent un sursaut: ils ne reconnaissaient pas les lieux.

— J'ai compris, chuchota Nihassah. Je me rappelle. C'est cet amas de roches qui n'était pas là avant. Il dissimule l'entrée de la caverne. Tu crois que ce sont nos frères, qui ont fait ça?

— Ça ne ressemble guère à du travail de Nain… Ça n'a pas l'air assez naturel…

— Mais alors pourquoi les Hommes se seraient-ils donné la peine de boucher l'ouverture?

— Peut-être qu'ils sont entrés et qu'ils se sont rendu compte qu'il n'y avait pas d'autre issue…

— À mon avis, c'est qu'ils ont enfermé du monde dedans, conclut Nihassah en commençant à enlever les pierres.

WaNguira vint aussitôt l'aider. Ils travaillaient tous les deux en silence, avec efficacité et, en peu de temps, le volume du tas de roches avait diminué.

— J'ignore comment nous ferons pour les grosses pierres du dessous, déclara Nihassah. Peut-être qu'il nous faudra appeler Bandélé et Doumbénény à la rescousse. Elles sont énormes!

— On n'a pas vraiment le temps… Si on laisse les choses en l'état et que les guetteurs font une ronde, ils verront qu'il y a eu de la visite. Mais je sais comment procéder…

Nihassah l'interrogea du regard une fois de plus. Décidément, le grand prêtre se montrait plein de ressources…

— Le cristal de Mwayé? souffla-t-elle pour s'assurer qu'elle avait deviné.

— On pourrait, répondit WaNguira. Mais après, les pierres seront pulvérisées et on aura du sable. On ne pourra pas les replacer. Il y a un autre moyen…

Nihassah vit WaNguira fermer les yeux et étendre le bras au-dessus d'un énorme rocher. Elle fixait la scène, attendant la suite. Au bout d'un moment, elle vit le rocher se soulever et flotter dans l'air.

Le grand prêtre déplaça alors son membre vers la droite, et le rocher suivit le même trajet. WaNguira baissa le bras et le rocher se posa sur le sol. Trois fois il recommença l'opération, sous le regard ébahi de Nihassah. Il ne restait plus qu'un seul gros roc.

— Tu veux essayer? lui proposa-t-il en ouvrant les yeux.

La Naine refusa d'un signe de tête. Ce n'était pas le moment. Elle était de plus en plus convaincue qu'il y avait du monde à l'intérieur et qu'il fallait agir rapidement. À en juger par le succès obtenu avec la métamorphose de la pie, elle se doutait que, ne possédant aucun entraînement, elle ne ferait que retarder la progression des événements.

WaNguira dut suivre le fil de sa pensée, car il acquiesça d'un geste apaisant de la main signifiant qu'elle avait tout le temps d'apprendre, ferma les paupières et déplaça le bloc qui restait.

Un trou béant s'ouvrait à la surface du sol, donnant sur un escalier qui s'enfonçait dans les ténèbres.

Nihassah se rappela la fois où elle était venue en compagnie de Bandélé, avec l'assurance que les cinq Nains aperçus par le dernier groupe de Kikongos débarqués par Pafou s'étaient réfugiés dans le *grenier*.

La même intuition l'habitait aujourd'hui. Elle ne pouvait pas se transformer en pie ou déplacer des pierres par la force de sa pensée, mais elle pouvait sentir la présence de Nains sous la terre! Du regard, elle quêta l'approbation de WaNguira avant de s'engager dans l'escalier. Il se contenta de lui emboîter le pas, en écartant les bras dans un geste évoquant la fatalité.

— Il y a quelqu'un? demanda-t-elle avant même d'arriver au pied des marches. C'est moi, Nihassah, la fille de Mukutu… je suis avec WaNguira…

Nihassah répéta sa question plusieurs fois, mais le silence persista. Pourtant, en pénétrant

144

dans la caverne, le sentiment qu'elle avait d'une présence se renforça. WaNguira dut percevoir la même chose, car il poursuivit :

— Si vous êtes là, répondez-nous. C'est WaNguira, avec Nihassah.

Tous les deux parcouraient la cavité, en appelant, et au bout d'un moment, un faible gémissement se fit entendre.

12

Nihassah et WaNguira se dirigèrent aussitôt vers la source du bruit et découvrirent, en même temps, recroquevillées parmi des meubles et des paniers de tailles diverses, deux silhouettes qui n'avaient même plus la force de bouger.

Ils se précipitèrent, mais les deux Nains étaient trop faibles pour se redresser.

— Ils nous ont enfermés. Nous ne pouvons pas sortir.

WaNguira, en un éclair, comprit à qui il avait affaire : Étibako, dont il avait, la nuit précédente, capté la pensée sous forme d'un message identique, n'était pas avec les siens. C'était lui qui gisait là, dans le *grenier*, avec un compagnon de misère. Mais pourquoi se trouvaient-ils dans un tel état de délabrement physique ? Il y avait des réserves, dans la caverne : on ne l'appelait pas le *grenier* pour rien…

— Vous êtes blessés?

— Soif, fut la réponse. Faim.

Nihassah scruta l'obscurité et dénicha sans trop de peine des provisions. Les Nains avaient pour habitude de toujours laisser des réserves dans les souterrains, en différents endroits, et souvent de quoi subsister assez longtemps en cas d'éboulement. Pourquoi ces deux-là ne s'étaient-ils pas servis?

Dans un panier au couvercle un peu abîmé, elle trouva diverses noix; un coffret renfermait des fruits séchés juste à côté. Elle secoua une jarre pour vérifier qu'il y avait du liquide à l'intérieur. Le glouglou entendu la rassura et elle ouvrit le récipient, afin de juger si le liquide était potable. Ce n'était que de l'eau, peut-être qu'elle n'aurait pas très bon goût, mais au moins, ça se conservait.

Elle croisa le regard de WaNguira qui haussa les épaules avec commisération. Il avait dû arriver aux mêmes conclusions qu'elle: les Gnas, à force de vouloir imiter les Hommes, avaient perdu leurs réflexes de Nains. Ils avaient fait vite! Mais le fait est qu'en situation précaire dans une caverne, ils ne savaient plus comment réagir.

Ces deux-là se seraient laissé mourir de faim, de soif et d'épuisement, tellement ils étaient persuadés qu'ils ne s'en sortiraient pas. Ils n'avaient même pas essayé de lutter. Convaincus que la mort les attendait, ils s'étaient inclinés, sans même se rendre compte qu'ils avaient de quoi subsister dans leur prison. La quantité de réserves entreposée là leur permettait de creuser une sortie depuis l'intérieur, même si les travaux devaient durer plusieurs semaines.

En réalité, quelques jours auraient suffi, évalua Nihassah. Comment avaient-ils pu se conduire aussi sottement, se demandait la Naine en soutenant leur tête pour les abreuver.

« C'est ça, la puissance de l'esprit, répondit WaNguira en pensée. Tu la vois à l'œuvre. Ils étaient tellement persuadés que tout était fini pour eux qu'ils n'ont même pas essayé de se sauver.

— Ils auraient pu, pourtant. Ce ne sont pas les réserves qui manquent… En économisant, ils auraient pu tenir plus d'un mois, je pense. Ce qui leur laissait largement le temps de creuser une sortie : ce ne sont pas les outils qui manquent…

— Oui, mais la vision de la mort a caché la possibilité de la vie. Tu comprends pourquoi il faut vider son esprit, parfois ? Un mental plein nous oriente et nous fait voir ce qu'il veut : ce faisant, il nous cache la réalité.

— Je t'entends.»

Nihassah se concentra sur Étibako qui se désaltérait en vidant gobelet sur gobelet. WaNguira s'occupait de son compagnon, qu'il avait fini par identifier comme étant Mossi, le fils d'Abomé. Ils avaient moins fière allure que la dernière fois qu'il les avait vus, à l'orée de la forêt de Nsaï.

Heureusement, le temps passant, la nourriture les revigorait et les deux amis se remettaient à vue d'œil. La perspective de la mort s'éloignant, ils retrouvaient l'espoir et, avec lui, la guérison.

— Il vaut mieux ne pas trop vous remplir l'estomac dans l'immédiat, conseilla WaNguira. Si vous vomissez le tout, vous n'aurez rien gagné... Depuis combien de temps êtes-vous là?

— Comment veux-tu qu'on le sache, sans la succession des jours et des nuits? répondit Étibako.

— Innocent, s'énerva WaNguira. As-tu donc perdu à ce point ton âme de Nain que tu ne sais plus mesurer l'écoulement du temps sous terre? Il est vrai que se laisser mourir de faim dans une caverne garnie de provisions...

— Nous étions enfermés. Nous ne pouvions pas sortir...

— Oui, on le sait. Mais des Nains «enfermés» sous terre, c'est assez fréquent, figure-toi!

— Mais on ne voyait rien…

Nihassah perçut le froncement de sourcils de WaNguira dans l'obscurité. Les deux Gnas étaient-ils blessés, aveugles, même, comme WaNdo? Quelle malédiction s'acharnait ainsi sur leur peuple?

Le cœur de WaNguira s'emplit de compassion pour ces deux frères, condamnés si jeunes à assumer un tel handicap. Le grand prêtre se radoucit.

— On va vous aider à sortir d'ici. Il ne faut pas s'attarder. On vous conduira dans les collines. Vous y retrouverez Doumbénény. Il nous avait caché que vous étiez aveugles. C'est sans doute arrivé après son départ…

— Mais… qui a dit que nous sommes aveugles?

WaNguira demeura interdit.

— Mais… vous-mêmes!

— Nous ne sommes pas aveugles! Mais nous ne voyons pas dans le noir, c'est tout!

WaNguira, faisant fi des bonnes manières, lâcha un juron plein de mépris pour les deux incapables.

— Pourquoi vous nous traitez ainsi? Nous ne sommes pas moins que vous! Loin de là, même! objecta Mossi avec une suffisance ridicule dans son état.

— En tout cas, aveugles ou aveuglés, vous avez perdu tout bon sens de vue, c'est moi qui vous le dis! rétorqua WaNguira qui se dominait pour retrouver son calme.

Vexés, les deux rescapés se redressèrent sans un mot. Mais le grand prêtre continuait.

— Vous vouliez imiter les Hommes. À quoi ça vous a servi? Vous êtes bien avancés, maintenant. Même plus capables d'assurer votre survie dans votre milieu naturel! Et vos frères, là-haut, perchés comme des volatiles au sommet d'un phare, en train de vomir tripes et boyaux… Ah, vous pouvez être fiers de vous, les Gnas!

Il aurait continué, si Nihassah n'était intervenue.

— Aveugles ou pas, il faut laisser à leurs yeux le temps de se réhabituer à la clarté du dehors…

Elle les aida à s'installer sur une marche, en leur demandant de lever progressivement les yeux jusqu'à ce qu'ils s'adaptent à la luminosité extérieure.

Un court moment s'était écoulé, lorsqu'ils entendirent des voix. Les Hommes approchaient. Nihassah chercha immédiatement du regard une arme quelconque.

Elle entendit un geignement de chaton et Étibako s'affaissa mollement sur le sol. Mossi le suivit peu après, comme un pantin désarticulé.

Nihassah, inquiète, réfléchissait à toute vitesse. Elle s'apprêtait à saisir un épieu qui se trouvait sur un meuble, non loin, quand WaNguira lui fit signe de ne pas bouger. Elle le vit fermer les yeux lentement en même temps qu'il se retirait en lui-même. «Allons, il va remettre les pierres à leur place, pensa-t-elle. Mais aura-t-il le temps? Les voix se rapprochent…»

Effectivement, on entendait de mieux en mieux les paroles échangées.

— Tu vois que tout est en ordre, non? dit une voix. Comment veux-tu qu'ils se sauvent, avec ce tas d'pierres sur le trou?

— Je me méfie des Nains quand il s'agit de pierres, c'est tout. Ils creusent partout!

— Eh bien, tu peux chercher, il n'y a pas d'autres issues. On a exploré cette caverne, avec Moribond. La seule sortie, c'est celle-ci, et tout est en place!

L'autre maugréa des paroles que Nihassah ne comprit pas. Elle ne comprenait rien, d'ailleurs. Comment les guetteurs pouvaient-ils affirmer que rien n'avait changé de place alors qu'elle apercevait un coin de ciel qui se découpait en haut de l'escalier?

Les voix s'éloignant, elle reporta son regard sur le grand prêtre. Il souriait.

— Tu vois ! Si on se concentre suffisamment, on peut même montrer aux gens des choses qui n'existent pas. Tu les as entendus, n'est-ce pas ? Ils ont VU les pierres à leur place !

Nihassah n'en revenait pas. Où s'arrêtaient les pouvoirs de WaNguira ? Il avait tant d'emprise sur l'esprit des trois guetteurs qu'il leur faisait voir un amas pierreux là où il n'y avait que du vide ! Et elle était censée s'entraîner, pour obtenir le même résultat ? Il plaisantait, le grand prêtre…

« Tu peux y arriver, je t'assure ! Je t'apprendrai. » fut la réponse qu'elle perçut dans sa tête. Aussitôt suivie d'un « On y va. Réveille-les ! » qui n'admettait pas la lenteur.

Elle tapota rapidement les joues des deux Gnahorés rendus muets par la peur, accéléra le mouvement et finit par les gifler activement pour les réveiller. Sous la virulence du traitement, ils émergèrent de leur catalepsie.

— Allez ! On y va ! Debout !

Ils se levèrent malgré eux, mus par l'énergie se dégageant de la voix qui leur commandait. Ils clignèrent plusieurs fois des yeux en retrouvant la pleine lumière, mais ne se plaignirent pas.

Nihassah et WaNguira les encadraient, les soutenant quand ils trébuchaient. L'important était de rejoindre les souterrains de Koulibaly le plus vite possible – une fois à l'intérieur, ils auraient tout le temps de converser.

* * *

Heureusement, le trajet se déroula sans encombre. Étibako et Mossi, sans doute conscients du danger, progressaient en silence, sans même un de ces geignements de chaton nouveau-né qu'ils aimaient tant émettre dans la caverne.

«Curieuse tribu, quand même, songeait Nihassah. Et ce sont nos frères! Comment pouvons-nous être si différents? Quand je pense que je répétais à Gaïg, lorsqu'elle était encore au village, que la différence enrichit... Si elle m'entendait maintenant...

«Mais que devient-elle, ma princesse? Peut-être est-elle en train de se baigner, avec ses nouvelles amies... Sa "famille", devrais-je dire... Quelle étrange histoire, quand même! Fille d'une Sirène et d'un Homme!

«Et ces perles de Nyanga qu'il faut donner aux Sirènes... Hormis celles que Mama Mandombé a remises à Dikélédi, on n'en a jamais trouvé d'autres. Et les Sirènes s'impatientent... Elles ne disent rien pour le moment, mais je sens bien qu'elles s'interrogent. Être ainsi envahies dans ce qui constituait leur domaine depuis toujours, et ne même pas recevoir leur dû...

« Pourquoi n'en trouve-t-on pas ? Ce n'est pas faute de chercher, pourtant... Aucun Nain n'a jamais trouvé de Nyanga sur ces îles... Or, si l'on en croit les Sirènes, il y en avait, avant... Elles... »

Nihassah ne termina pas sa pensée. Elle avait pénétré dans la galerie sans même s'en rendre compte, et Doumbénény, surgi des profondeurs, reconnaissait les siens.

Les trois Gnahorés échangèrent force effusions, heureux de se retrouver. Ils se congratulaient, partageaient les dernières nouvelles, avec toujours ces petits cris que Nihassah qualifiait de miaulements de chaton abandonné, dès que les informations n'étaient pas bonnes.

En effet, la situation se présentait sous un mauvais aspect, comme il fallait s'y attendre.

Mossi et Étibako avaient échappé de justesse aux Hommes de Ganelon lorsqu'ils avaient effectué leur descente au palais d'Abomé. Les deux Nains se trouvaient à ce moment-là dans le jardin, parfaitement dissimulés parce qu'eux-mêmes à l'affût.

En effet, à plusieurs reprises, des Gnahorés avaient cru apercevoir un Salamandar se faufilant dans le feuillage. Tout se passait très vite et personne n'était sûr de rien mais, saisi par le doute, Abomé avait demandé à son fils de faire le guet, dans le plus grand secret, parce qu'il ne voulait pas avoir l'air ridicule en ajoutant foi aux dires de quelques hallucinés.

Mossi, ne s'imaginant pas demeurer des heures durant immobile dans les buissons, avait convaincu Étibako de lui tenir compagnie. Ils montaient la garde depuis plusieurs jours, à intervalles réguliers, et connaissaient maintenant tous les recoins du jardin. Ce qui, finalement, leur avait bien servi: ils n'avaient pas entrevu l'ombre de la queue d'un Salamandar, bien sûr, mais ils avaient assisté, de loin, au départ de leurs frères, sous bonne garde.

L'attaque s'était déroulée en silence, puisqu'ils ne s'étaient rendu compte de rien, jusqu'à ce qu'ils voient les Nains alignés, tempêtant et rouspétant à qui mieux mieux. Ils avaient pensé se joindre à eux, simplement pour rester ensemble mais, remarquant la brutalité des Hommes à l'égard de leurs captifs, ils avaient décidé d'un commun accord qu'ils seraient plus utiles en demeurant libres qu'en se constituant prisonniers.

Ils avaient entendu les discussions des Hommes, répétant sans arrêt que c'était dans le phare de Bamako que les Nains seraient détenus. Le convoi avait attendu le soir pour traverser discrètement la ville.

Les deux amis étaient restés plusieurs jours dans le jardin du palais, cherchant désespérément un moyen de venir en aide à leurs proches. Malheureusement, des Hommes avaient investi l'édifice et ils avaient dû s'enfuir, «en pleine nuit». WaNguira ne put s'empêcher de leur faire remarquer que la nuit représentait plutôt un avantage pour les Nains, qui pouvaient s'y déplacer comme en plein jour, ce qui n'était pas le cas des Hommes…

Étibako et Mossi avaient rejoint les collines, pensant avertir les autres Nains. Non seulement ils avaient trouvé les cavernes vidées de leurs occupants, mais en sortant de la galerie principale, ils n'avaient pas fait attention.

Persuadés d'être en sécurité, ils s'étaient installés devant l'entrée pour discuter. Des Hommes étaient arrivés par-derrière, leur coupant l'accès aux souterrains. Ils n'avaient eu d'autres ressources que la fuite droit devant soi, pour finalement s'engouffrer dans l'escalier du *grenier*, en espérant que leurs poursuivants n'y entreraient pas.

Ce qui avait été le cas : ils les avaient entendus rire et se moquer, avant de boucher l'ouverture avec des rochers. En effet, les sbires de Ganelon avaient déjà inspecté la caverne et ils étaient à peu près sûrs qu'il n'y avait pas d'issue supplémentaire.

— On reviendra vous chercher quand on emmènera les autres, avait crié l'un d'eux dans le passage. Ainsi, la tribu sera au complet!

Mossi et Étibako avaient attendu, puis, les heures passant, ils s'étaient sentis condamnés à mourir sur place : soit on les avait oubliés, soit on les laissait volontairement périr là, de faim et de soif.

— Mais depuis combien de temps êtes-vous dans ce grenier? avait insisté WaNguira. Ça nous donnerait une indication, pour savoir quand ils risquent de revenir.

Malheureusement, tous les deux avaient perdu toute notion de durée. WaNguira se maîtrisait pour ne pas les traiter de tous les noms d'oiseaux de son répertoire. La situation était déjà assez sombre, il n'allait pas l'aggraver encore en envenimant les relations avec des injures.

Les six Nains réfléchissaient, chacun à sa façon, sur le meilleur moyen de libérer leurs frères prisonniers. Mais ils avaient beau étudier le problème sous ses différents aspects, les données étaient toujours les mêmes : un phare en hauteur sur un îlet relié à la côte par un tombolo plus souvent immergé qu'à sec, une seule porte pour s'introduire dans l'édifice, et des gardiens sans doute partout.

— Quelle misère et quel malheur ! se lamentait Doumbénény. Je ne vois pas comment nous pouvons les faire sortir de là…

— Il savait ce qu'il faisait, ce Ganelon, en choisissant le phare comme prison… avait ajouté Nihassah. C'est une forteresse inexpugnable.

— Nous n'avons vraiment aucun moyen d'y pénétrer, avait conclu WaNguira. Quand je pense à nos frères prisonniers à cette altitude…

C'est alors que Loki était entré, accompagné de Txabi.

— Hi ! hi ! Ils n'y sont plus ! Salut, la compagnie !

13

Loki savoura avec une évidente satisfaction l'attention dont il était l'objet. Il se délectait à l'idée d'être le point de mire de l'assemblée. Ah, il n'avait pas raté son entrée !

En fait, tout le secret résidait dans l'art de la disparition, et surtout dans celui de demeurer absent. Il fallait que les autres aient le temps de se rendre compte de votre absence, et ça pouvait être un peu long… Mais si on résistait à l'envie de revenir, à l'ennui généré par l'éloignement de la communauté, alors, on était sûr de produire son effet quand on réapparaissait.

Et si, de surcroît, on détenait des informations intéressantes…

— Comment ça, « ils n'y sont plus » ? interrogea WaNguira. Et où sont-ils donc ?

— *Oh la la, que j'ai faim !* répondit le Pookah, sans tenir compte de la question posée. *Et que* je suis fatigué! Hé! hé! hé! Nous avons beaucoup marché, hein, Txabi?

Le jeune Salamandar opina de la tête, visiblement affamé lui aussi.

WaNguira fut tenté d'insister, mais il connaissait trop les Pookahs pour agir ainsi. Il valait mille fois mieux laisser Loki prendre la direction de la conversation que d'essayer de lui tirer les vers du nez.

Malheureusement, les Gnahorés, peu familiers de l'individu remuant qui sautillait en face d'eux en se plaignant de la faim qui finirait par le terrasser, le pressaient d'interrogations diverses. Ils parlaient tous les trois en même temps, pour finir avec les deux mêmes questions: «Où sont-ils?» et «Comment le sais-tu?»

Loki les ignorait, fixant Nihassah avec un regard suppliant, comme si elle était la seule du groupe à pouvoir le satisfaire: la Naine au cœur tendre qui lui avait généreusement prêté assistance dans les marais ne manquerait pas de le secourir une fois de plus.

— Hé! hé! hé! On est vraiment très fatigués, hein Txabi? Ça nous ferait le plus grand bien, de nous restaurer un peu...

Nihassah poussa sans ménagement un panier devant lui:

— Tiens, sers-toi, c'est tout ce qu'on a d'immédiatement disponible.

— Ah! Merci, Nihassah, merci beaucoup! Hi hi hi! Tu compatis, parce que tu vois dans quel état nous sommes, n'est-ce pas? Nous avons beaucoup marché, dès que nous avons su...

— Su quoi? demanda négligemment Nihassah en säisissant une noix dans le panier. Elle prit le temps de l'écaler, comme si la réponse ne présentait aucune importance, de la croquer, puis se resservit. Mais cette fois-ci, après l'avoir débarrassée de sa coque, elle la tendit au Pookah. Elle procéda de même avec Txabi. Plus vite ils seraient rassasiés, plus tôt on serait informé. Loki était aux anges.

WaNguira fit un clin d'œil complice à Nihassah. Il valait effectivement mieux jouer le jeu du Pookah si on voulait qu'il partage ses secrets. Mais les trois Gnahorés commençaient à s'énerver.

Étibako saisit les deux mains du Pookah et les immobilisa sur le sol, sous les siennes:

— Mais tu vas répondre, oui ou non?

Mossi et Doumbénény se levèrent, disposés à prêter main-forte à leur frère pour maîtriser Loki et l'obliger à parler. Mais Nihassah et WaNguira s'étaient déjà précipités sur Étibako en lui criant de délivrer Loki. Trop tard! D'un geste vif comme l'éclair, le prisonnier avait dégagé ses mains et les avaient posées à son tour sur celles de son adversaire.

— Hé! hé! hé! J'ai gagné! Libère-toi si tu peux, maintenant! Hi! hi!

Étibako essayait désespérément de se libérer. Non seulement il en était incapable, mais il commençait à souffrir : comment ce vieux bonhomme ridé pouvait-il recéler une telle poigne ? Il lui écrasait littéralement les mains, comme sous un énorme rocher.

Étibako grimaça sous l'emprise de la douleur.

— Arrête, tu me fais mal! supplia-t-il.

Loki le lâcha immédiatement, comme s'il ne s'était pas rendu compte de sa force.

— Ho! ho! ho! Je croyais que tu voulais jouer! En tout cas, j'aurais gagné! Hé hé hé! Mais que j'ai faim!

Nihassah se rassit et recommença à lui écaler des noix. Mais un froid était tombé sur l'assemblée.

Les trois Gnahorés se taisaient, stupéfaits et effrayés. On leur avait parlé de Loki, bien sûr, un Pookah farceur sorti de la forêt enchantée de Nsaï, qui accompagnait Gaïg, la fille de la prophétie. Mais ils n'en savaient pas davantage. Et ce n'était tout simplement pas possible que ce gnome tout fripé puisse posséder une telle force.

Nihassah ne comprenait pas. Y avait-il eu violence, de la part de Loki ? Oui, sans doute, même si c'était la première fois qu'elle le voyait agir de cette façon. Il y était allé un peu fort, en écrabouillant ainsi les mains d'Étibako. Mais ce dernier avait provoqué ce qui était arrivé, aussi. De quel droit prétendait-il maîtriser physiquement le Pookah pour l'obliger à parler ? Quel manque de délicatesse ! Et ensuite, il le torturerait ? Et jusqu'où irait-on, avec une telle tournure d'esprit ?

Nihassah conclut qu'Étibako n'avait pas agi, après réflexion, selon la conduite attendue d'un futur grand prêtre. WaNguira avait raison quand il disait que la violence physique, c'était la force des faibles. Mais Étibako ignorait qu'il s'attaquait à plus fort que lui et il avait reçu une leçon.

La Naine se demanda brièvement d'où le Pookah tirait cette robustesse : la scène n'avait pas duré longtemps, mais elle avait compris, au visage grimaçant de son futur collègue, que la douleur était forte. Elle se sentait en colère contre lui : pourquoi avait-il aussi bêtement provoqué le Pookah ?

Étibako geignait en se frottant les doigts, faisant mine de vérifier qu'ils n'étaient pas cassés.

— Dorénavant, tu te méfieras de l'eau qui dort, gronda WaNguira. Quelle idée, aussi, d'attaquer un être sans défense !

Tous furent stupéfaits par l'expression «être sans défense» et les trois Gnahorés manquèrent s'étrangler en avalant leur salive de travers. Nihassah ne put s'empêcher de sourire : il exagérait un peu, le grand prêtre…

Mais l'appellation ravissait Loki. Il récompensa WaNguira d'un large sourire et enchaîna, comme si rien ne s'était passé :

— Hi! hi! hi! Comme je le disais, il n'y a plus personne dans le phare de Bamako. Les prisonniers ont été ramenés au port sous bonne garde et on les a fait embarquer sur un bateau. On ne peut pas les voir, ils sont enfermés dans la cale. Mais nous, on a pu, bien sûr! Hein, Txabi?

Le silence régnait de nouveau. Loki jouissait avec un plaisir non dissimulé de l'attention de son auditoire. Étibako se frottait encore les doigts, machinalement, trop abasourdi pour pouvoir parler. Mossi et Doumbénény fixaient le Pookah, incrédules. Bandélé attendait sagement qu'on lui dise ce qu'il convenait de faire.

WaNguira et Nihassah réfléchissaient, cherchant déjà comment tirer parti des informations délivrées. Que leurs frères ne soient plus emprisonnés dans le phare leur donnait un espoir. Très vite effacé par la pensée du bateau, qui présentait autant de difficultés que le phare en ce qui concernait l'accès à l'intérieur.

166

Est-ce que six Nains, même décidés, pouvaient attaquer un navire à eux seuls? Oui, avec un plan très précis, et beaucoup de chance. Mais les probabilités de succès apparaissaient néanmoins restreintes. Appeler une fois de plus les Floups à la rescousse?

Ils accepteraient sans doute volontiers de donner l'assaut à un bâtiment appartenant aux Hommes, certes, mais n'était-ce pas abuser d'eux? Bien que des liens d'amitié se fussent créés entre les deux peuples, les Nains leur demeuraient quand même redevables pour toute l'aide apportée ces dernières années. Et même si les petits pirates avaient refusé d'être payés, on les avait plus que largement dédommagés en leur offrant des armes de qualité exceptionnelle. Mais d'abord, où emmenait-on les Gnahorés? Dans quelle nouvelle prison?

WaNguira et Nihassah sursautèrent ensemble, avant d'échanger un long regard, chargé de sous-entendus. La même idée avait jailli dans leur esprit: Sondja, bien sûr! Une histoire qui recommençait, semblable à la précédente. Il fallait remplacer les travailleurs enfuis. Après tout ce temps... Peut-être que les Hommes avaient essayé d'exploiter eux-mêmes le sous-sol de l'île, après le départ des Nains. Ils avaient alors découvert que vivre sous terre ne leur plaisait pas.

Qui mettre à la place des Kikongos, sinon leurs propres frères? Il y avait, à Shango et à Bamako, une main-d'œuvre immédiatement disponible, des êtres dont l'absence ne préoccuperait personne avant longtemps.

Nihassah s'adressa à WaNguira en pensée.

«Eh bien, si c'est ça, tout est à recommencer!

— Oui. Sauf que maintenant, nous avons une longueur d'avance sur eux, puisque nous devinons leurs intentions. Et nous savons comment pénétrer dans l'île…

— Par ce fameux lac souterrain qui communique avec la mer?» demanda la Naine, faisant ainsi allusion à la retraite maintenant désaffectée de Iolani.

«— Oui. Ou par la côte occidentale, le cas échéant. Un ou deux Nains de plus passeront inaperçus, pour les Hommes.

— Sauf s'ils les comptent…

— De toute façon, il n'est pas question de se laisser emprisonner. Nous nous contenterons d'entrer en contact avec eux pour dresser un plan de fuite. Ensuite, on les embarque et on les emmène à Faïmano!

— S'ils sont d'accord… Je veux croire qu'ils ne seront pas assez bornés pour désirer retourner au pays de N'Dé!»

WaNguira haussa les épaules et écarta les bras, en un geste mêlant impuissance et fatalité. Ce sur quoi on n'avait pas de contrôle, on était obligé de l'accepter.

Maintenant que les Gnahorés se trouvaient sur un bateau, il fallait contacter les Floups le plus rapidement possible. WaNguira se dit qu'il pourrait retrouver, de mémoire, le trajet jusqu'au village secret de Flopi, dissimulé sur la côte. Mais il éprouvait de la réticence à dévoiler son existence aux trois Gnahorés présents.

À moins de s'y rendre seul, ou avec Nihassah, et de revenir les chercher en bateau… ce qui demanderait un certain temps…

Loki, comme s'il avait suivi la conversation échangée entre les deux Nains ainsi que les réflexions du grand prêtre – et peut-être l'avait-il fait… –, intervint :

— Si vos frères ont été emmenés sur un bateau, c'est qu'ils vont naviguer, hé ! hé ! hé ! Alors, avec Txabi, on s'est dit que ce serait bien d'avertir les Floups ! On les a cherchés, longtemps, longtemps, longtemps. Et puis, on les a trouvés ! Oh, que je suis fatigué ! Hein, Txabi ?

— Oh, Loki, tu es incroyable ! s'exclama Nihassah. Tu as parfaitement deviné comment il convenait d'agir !

Loki, bien que se rengorgeant sous l'effet du compliment, eut un petit geste négligent de la main, comme si la chose allait de soi, et poursuivit :

— Pilaf et Flopi viendront vous chercher en face des marais, comme d'habitude. Hi! hi! hi! Pafou fait des virées en mer pour les espionner. Il vaut mieux savoir où ils vont, n'est-ce pas?

— Oh, on s'en doute bien, tu penses, répondit sombrement WaNguira. En tout cas, félicitations! Tu prends parfois de bonnes initiatives…

— Ah, Loki, tu es un trésor, fit Nihassah en l'embrassant. Tu as tout prévu, comme un chef!

— Vous pourriez nous informer… geignit Étibako en frottant ses doigts.

— Tu n'as pas compris? demanda Nihassah, sincèrement étonnée. Les Floups viendront nous chercher…

— Oui, mais pour aller où? C'est de la graine de pirate, ça! Je ne veux pas embarquer avec eux!

WaNguira et Nihassah retinrent un geste d'énervement. Heureusement, Doumbénény intervint:

— Mais tu n'as rien à craindre d'eux… Ils sont gentils…

— Gentils? Ce n'est pas leur réputation…

— Si, je t'assure. Ils nous emmèneront sur l'archipel de Faïmano.

— Mais je ne veux pas aller m'enterrer dans ce trou perdu, moi. Je veux rester ici!

— Oh, tu peux rester ici si tu le décides, s'énerva WaNguira. Mais ne compte pas sur nous pour te délivrer si tu es prisonnier ! Même chose pour toi, Mossi. Et *idem* pour les autres, sur le bateau. Ceux qui persistent à vouloir demeurer avec les Hommes seront libres de le faire. Ce sera notre dernière tentative pour vous convaincre de venir.

La conversation s'arrêta là et chacun se plongea dans ses pensées. À un moment, ils furent interrompus par des éclats de voix qui leur parvenaient de l'extérieur, mais les sons étaient trop assourdis pour être reconnaissables.

— Quelle belle entente ! soupira Nihassah. On ne peut pas dire que la concorde règne chez eux…

— Elle ne règne pas non plus chez les Nains, argumenta Mossi. Il y en a qui veulent prendre le pouvoir et diriger les autres…

— Si c'est à nous que tu fais allusion, tu te trompes grandement, corrigea WaNguira. Si Doumbénény n'était pas venu nous demander de l'aide, nous ne serions pas ici au moment présent. Et demain, seuls ceux qui le désireront embarqueront.

Doumbénény hésita un instant, puis se lança :

— En tout cas, moi, je repars avec vous.

Puis il ajouta, en s'adressant aux deux autres Gnahorés :

— C'est bien, là-bas, vous savez. C'est tranquille, on ne risque rien. Et puis, si vous restez, ce sera ici, dans les collines. Vous ne pourrez pas revenir en ville, sous peine d'être capturés. Non seulement vous serez seuls, mais vous serez perpétuellement obligés de vous cacher.

— On verra demain ce qu'on décidera, maugréa Mossi.

— Vous feriez mieux d'y réfléchir pendant la nuit, avertit WaNguira. Parce que demain, on ne suppliera personne.

Le grand prêtre fit signe à Nihassah de l'accompagner et s'éloigna avec elle. Il ne gaspillerait pas davantage d'énergie en discussions stériles, il avait autre chose à réaliser : former une grande prêtresse, l'éduquer, lui transmettre son savoir afin qu'elle puisse un jour lui succéder.

Il lui enseigna différents exercices de concentration, lui laissant la responsabilité de la régularité dans l'entraînement.

Le temps s'écoula rapidement et Nihassah, tout à son apprentissage, ne le vit pas passer. Elle se montra surprise quand Bandélé vint les chercher pour se restaurer avant ce qui devait être leur dernière nuit dans les collines.

Le lendemain, ils se mirent en route pour les marais, escortés des trois Gnahorés qui n'avaient fait aucune allusion à l'altercation de la veille. Mais WaNguira savait que c'était Doumbénény qui les avait convaincus.

Nihassah, avant de pénétrer dans le marécage, avait saisi d'autorité Loki par la main, pour la plus grande joie de celui-ci, qui adorait se sentir un centre d'intérêt.

— Ainsi, tu n'auras pas besoin de t'agripper à un arbuste si tu glisses, l'avait-elle prévenu. Tu n'auras qu'à t'accrocher à moi…

— Et nous tomberons ensemble, avait continué Loki, très fier de lui.

Nihassah, au lieu de rectifier, était entrée dans son jeu :

— Parfaitement, je ne te lâcherai pas et je mourrai dans d'atroces souffrances : Bandélé aura beaucoup de chagrin, et Gaïg également ! Heureusement que tu seras mort toi aussi, car je ne donnerais pas cher de ta peau, si tu survivais…

Le trajet se déroula néanmoins sans incident. Loki tentait quelquefois une évasion en batifolant de droite et de gauche, mais Nihassah, tenace, ne le lâchait pas : elle se contentait de le suivre. Constatant le peu de succès de ses tentatives, Loki y avait renoncé et ils étaient arrivés sur la plage.

— Vos Floups ne sont même pas au rendez-vous, avait lancé Mossi avec aigreur en parcourant des yeux la vaste étendue marine.

— Hé, hé, hé, c'est parce que tu ne possèdes pas la vue perçante du marin, s'était moqué Loki. Je les vois, moi!

Il avait alors indiqué du doigt un infime relief à l'horizon, se détachant sur la surface plane de la mer.

— Il y a une bonne brise, ils arriveront vite, avait-il déclaré avec un air connaisseur. Il ne reste plus qu'à attendre.

Les deux bateaux furent bientôt là et Flopi mit une barque à l'eau pour venir les quérir. Il avait l'intention de garder tout le monde à son bord, mais Loki refusa d'abandonner «son» capitaine.

— Ho! ho! il aura besoin de son second, s'il y a un abordage! Il faut que quelqu'un soit responsable de la *Bella-Bartoque* pendant qu'il est occupé ailleurs...

Flopi, à qui on avait raconté l'incident de la barre confiée par Pilaf au Pookah et laissée par celui-ci pour aller tirer quelques flèches, émit un «Hum!» dubitatif et lourd de sous-entendus, mais n'insista pas. S'opposer à une telle créature équivalait à s'épuiser en discussions, perdre du temps, pour finalement se trouver forcé d'adopter ses vues.

Autant valait l'amener au chenapan, celui-ci se débrouillerait avec lui. Après tout, puisque le passager clandestin était venu à son bord, il pouvait aussi repartir avec lui…

Une fois les Nains embarqués, Flopi s'adressa à WaNguira :

— D'après ce que Loki nous a appris, nous présumons qu'ils feront route vers Sondja. Pafou tire des bords d'est en ouest en nous attendant.

— C'est bien, capitaine, déclara WaNguira en s'inclinant légèrement, la main sur le cœur pour montrer qu'il faisait entièrement confiance au Floup pour organiser le sauvetage des Gnahorés.

14

Sur la *Vive-Aldie*, tout allait mal. Le capitaine, Tibulle, avait été recruté au dernier moment, et l'équipage lui faisait grise mine. Le capitaine précédent, assez apprécié, était décédé et il avait fallu le remplacer d'urgence. Même si Tibulle était le dernier arrivé, il tenait à exercer ses prérogatives de seul commandant à bord après Dieu, mais l'équipage, plus ancien, habitué au bâtiment, se faisait tirer l'oreille pour obéir.

Les matelots prenaient un tout petit peu trop de temps pour passer à l'action, mais pas assez pour être taxés d'insubordination. Comme s'ils ne comprenaient pas immédiatement les injonctions pourtant nettes de Tibulle… Il était même arrivé à plusieurs reprises que celui-ci dût répéter un ordre.

Tibulle s'armait de patience : il était conscient que l'équipage lui faisait subir un examen. Et il savait comment ça finirait : on le pousserait à bout, il se fâcherait, et il faudrait qu'il l'emporte du premier coup sur le marin rebelle. Il n'y avait pas de seconde chance pour un nouveau capitaine appelé à gérer une bande de matelots faisant corps avec le bâtiment tels les crustacés incrustés sur la coque : ce serait la victoire ou l'enfer.

Tibulle attendait son heure en étudiant son personnel. Il devait choisir avec discernement celui sur lequel, aux yeux de tous, il assoirait définitivement son autorité de chef. Une forte tête, bien sûr, parce qu'à vaincre sans péril, il triompherait sans gloire. Mais pas une tête brûlée non plus, sans Dieu ni maître, pour lequel la vie ne comptait pas plus que ça et qui préférerait mourir plutôt que de céder.

Dans l'immédiat, il devait accepter la situation, sans la laisser s'éterniser néanmoins. Le temps pressait. Tibulle avait pour mission de conduire le bateau sur une certaine île de la mer d'Okan, d'y abandonner au moins la moitié des matelots en compagnie des passagers nains qu'il transportait et de revenir prendre les ordres de Ganelon. Du moins, s'il voulait continuer à travailler pour lui.

Or Ganelon payait grassement le travail effectué. En réalité, il achetait le silence de

Tibulle. Et ce joueur invétéré avait un pressant besoin d'argent pour acquitter les dettes dues à une succession de parties de dés particulièrement malchanceuses.

C'était sans doute pourquoi il n'avait pas trop cherché à approfondir la raison de la présence des Nains à bord. Ceux-ci, emprisonnés dans la cale, faisaient un tapage de tous les dieux, tour à tour criant, geignant ou soupirant, émettant sans arrêt des exigences diverses qui, bien sûr, n'obtenaient pas satisfaction.

— Apparemment, ils n'ont toujours pas compris qu'ils sont prisonniers et que leur vie ne vaut pas cher... avait constaté Romule, un des marins.

— Faut croire qu'ils ont la comprenette assez lente, avait acquiescé Zécler, l'homme de main de Ganelon. Mais tu as tort de dire que leur vie ne vaut pas cher : non seulement on a besoin d'eux, mais en plus, le Nain se fait rare, de nos jours...

— Mais c'est pas des Nains, ça... avait repris Romule, méprisant. N'ont aucune fierté : ça piaille, ça pleure, ça crie... T'as vu comme ils sont déguisés ?

— Ouais ! Les Nains se suivent et ne se ressemblent pas ! Rien à voir avec les précédents... Les Kikongos, qu'ils s'appelaient, je crois...

— Oui, et ceux-ci se proclament Gnahorés, amis des Hommes! S'ils savaient ce qui les attend...

— Pourtant, ils auraient pu deviner, après leur séjour dans le phare...

Hélas! Non seulement les Nains emprisonnés n'avaient rien deviné, mais, de plus, ils étaient convaincus que c'était pour leur bien qu'on les déportait, dans «un pays créé pour vous», avait précisé Ganelon.

Ce dernier, une des plus puissantes figures de Bamako, les avait persuadés de l'existence d'une terre où régnaient l'égalité et la justice, où les Nains, considérés comme des êtres supérieurs, n'avaient pas besoin de se jucher sur de hauts talons pour paraître plus grands. Et les Gnahorés, sourds et aveugles à ce qui était l'évidence même, l'avaient cru.

Ganelon avait été le premier étonné de constater que ses captifs, non contents de l'écouter, ajoutaient foi à ses fariboles. Il avait alors redoublé d'éloquence et ses prisonniers s'étaient montrés presque dociles pour embarquer, malgré les horribles conditions du séjour dans le phare de Bamako. Certains avaient regimbé, bien sûr, mais celui qui semblait être leur chef, un dénommé Abomé, s'empressait de les calmer.

Les Hommes s'étaient d'abord amusés de leur crédulité face à cette plaisanterie, sachant que c'était l'esclavage qui attendait ces passagers trop naïfs. Puis ils avaient déchanté, estimant cette naïveté pesante en plaintes et requêtes variées. Les prisonniers habituels, les vrais, ceux qui avaient perdu toute illusion, ne prenaient même plus la peine de réclamer quoi que ce soit.

Il est vrai que Ganelon avait ordonné de bien traiter les Nains afin qu'ils débarquent en pleine forme dans leur nouveau pays. Les Hommes avaient cru ces paroles chargées d'ironie, mais Ganelon les avait détrompés :

— S'il manque un seul Nain à l'arrivée, vous m'en rendrez compte ! Zécler, tu es responsable de tout et tu répondras d'eux. Si tu veux rester entier, fais en sorte qu'ils arrivent entiers également !

Par malchance pour les Hommes, les Gnahorés avaient entendu ce qui se disait et, depuis, ils se plaignaient sans arrêt. La soif, la faim, la chaleur, le froid, l'espace, l'aération, rien n'allait pour eux, ce qui n'était pas étonnant, vu leur confinement dans la cale.

Leurs récriminations n'obtenant aucun résultat, on se serait attendu à ce qu'ils les arrêtent. Hélas ! Ils insistaient encore plus, au grand dam des marins qui avaient les nerfs à vif à cause de leurs piaillements.

— Toute cette volaille ! avait grondé Romule. On dirait des poules avec leurs poussins…

— Comme si on n'avait pas assez avec les vrais… avait renchéri Giton, un des Hommes recrutés par Ganelon pour rester sur l'île et imposé à Tibulle en tant que marin pour l'aller alors qu'il ne connaissait rien à la navigation.

— M'en parle pas, ça me fiche la rogne, ça ! Passe pour le poulailler, mais les « ânes », là, avec leurs longues oreilles…

Tous les deux s'étaient tus, de crainte d'attirer la malchance sur le bâtiment. En effet, Ganelon, soucieux de garantir une certaine autonomie aux habitants de l'île, avait exigé que le capitaine embarque de la « viande sur pied », à savoir des animaux vivants.

Ces derniers étaient censés se reproduire sur place et, en constituant une part de la nourriture quotidienne, alléger d'autant la cargaison et le prix de revient du bateau qui assurerait le ravitaillement mensuel.

Tibulle avait accepté et dirigé l'embarquement des différentes espèces. Il était grassement payé et se fichait bien de ce qu'il transportait : Nains, poules, chèvres ou porcs, peu lui importait. Jusqu'à ce qu'il aperçoive le clapier ! Des lapins à bord ! Des rongeurs ! La bête aux longues oreilles, comme on disait couramment pour éviter de la nommer, le porte-malheur par excellence !

Le capitaine s'était insurgé, mais Ganelon, qui n'avait rien d'un homme de mer, n'avait pas cédé. Et comme Tibulle redoutait ses écrasants arriérés à acquitter, il avait fini par s'incliner, de crainte de voir cette lucrative traversée lui échapper, ainsi que toutes celles à venir.

Mais la présence à bord de ces passagers aux longues incisives pointues indisposait les marins encore plus que les récriminations des Nains : ils ne pardonnaient pas au capitaine d'éponger ses dettes de jeu en mettant leur vie en danger.

Tibulle, conscient de l'état d'esprit de son équipage, prévoyait qu'un des marins, dans un accès de colère superstitieuse, tordrait le cou aux lapins ou les ferait passer par-dessus bord. Il les avait donc pris avec lui dans sa cabine.

Ce faisant, il se sentait à la fois ridicule et anxieux. La présence constante des deux couples de rongeurs lui rappelait qu'il défiait les puissances marines, et le clapier encombrait l'espace déjà restreint de son habitacle.

Pour pouvoir se mouvoir sans l'enjamber, il avait fini par le placer en hauteur, sur son bureau. Il avait posé ses cartes de navigation dessus sans que cela le dérange trop : non seulement il les consultait debout, de toute façon, mais il n'en avait pas besoin dans l'immédiat, ayant une certaine expérience des eaux côtières du pays de N'Dé. Il déplacerait le clapier ultérieurement, si celui-ci le gênait trop.

Heureusement, la traversée ne serait pas très longue. Quelques jours suffiraient pour rejoindre l'île.

Or, au matin, après un jour de voyage, une très désagréable surprise l'attendait à son réveil. Une des lapines avait mis bas pendant la nuit ! Mauvais présage ! D'autant plus grave que les mâles avaient commencé à tuer les petits !

Il aurait fallu isoler la mère et ses lapereaux. Mais dans quoi ? Tibulle n'avait pas de clapier supplémentaire à sa disposition. Dégoûté par le minuscule corps inerte, dépourvu de poils, qui gisait à côté de la mère, le capitaine, bien que très agacé, avait haussé les épaules.

Ces bêtes-là étaient connues pour leur rapidité de reproduction, et même si tous les lapereaux se faisaient assassiner dans la journée, une autre portée les remplacerait dans moins de deux mois. Il n'allait pas se tourmenter pour une dizaine d'horribles petites bestioles roses, aveugles et nues, qui grouillaient dans la paille…

Demander au charpentier du bord de construire un deuxième clapier pour isoler la mère, c'était risquer de se le mettre à dos. De la provocation pure et simple, quoi ! Or, quand l'altercation attendue avec un matelot rebelle aurait lieu, il fallait que ce soit ce dernier qui ait tort, sans aucune contestation possible.

Tibulle n'avait rien dit de la mise bas en sortant de sa cabine ce matin-là, mais il n'était pas tranquille. Toute sérénité envolée, il se demandait ce qui le guettait, lui et ses marins bornés.

* * *

Le soir même, il avait eu la réponse. Mais avant cela, dans l'après-midi, il avait reçu confirmation du funeste destin qui s'ébauchait.

Il avait suffi d'une bourrasque un peu forte qui avait incliné brutalement le bateau, plus que de raison. Celui-ci s'était redressé, bien sûr, mais le clapier avait glissé et s'était brisé en tombant.

Tibulle, en entendant le bruit, avait rejoint sa cabine. Il avait immédiatement mesuré l'étendue du désastre. Passe pour le clapier en morceaux, passe encore pour la paille répandue au milieu des crottes et de l'urine… mais l'idée d'une multitude de rongeurs en liberté dans son habitacle le faisait frémir d'horreur.

Il avait beau essayer de se rassurer en considérant que la «multitude» était constituée de quatre individus seulement, deux mâles et deux femelles, les petits ayant sûrement péri dans la chute, il n'en menait pas large néanmoins. C'était quatre lapins de trop, en escapade sur un bâtiment en bois.

Sachant le danger que représentaient les rongeurs, il avait demandé à Romule de lui apporter rapidement un contenant quelconque, susceptible de faire office de cage.

Romule était revenu avec Zécler, chacun roulant devant soi un tonneau vide. Il n'avait pas fallu longtemps aux deux Hommes pour capturer les fugitifs dans l'espace clos de la cabine et les placer dans leur nouvelle prison.

L'opération s'était déroulée en silence, avec une certaine efficacité, il fallait le reconnaître. L'idée des rongeurs en liberté sur le bâtiment ne plaisait pas plus aux deux marins qu'au capitaine… Mais une fois les évadés attrapés, Tibulle avait donné ordre à Guibert, l'un des deux mousses, de nettoyer sa chambre.

Celui-ci était à peine entré qu'il ressortait, gris de peur, tenant un lapereau vivant au creux de la main.

— Il veut nous tuer! avait-il hurlé. Le capitaine veut nous tuer! Regardez!

Tibulle, excédé, n'avait fait ni une ni deux : il avait introduit le lapereau dans la bouche béante de Guibert et l'avait refermée de force.

— Avale ! Allez, avale, moussaillon de malheur ! Avale ce que tu as dit ! Tu vas voir si je veux te tuer !

Ce disant, il le bourrait de coups de genou dans le ventre.

Le pauvre mousse, étouffant, avait depuis longtemps dégluti, qu'il recevait encore des coups. Tibulle se déchargeait sur lui de la tension accumulée depuis la veille, de sa rancœur contre Ganelon, contre l'équipage, et contre ces bêtes honnies de tout navigateur qui se respecte.

Un attroupement s'était formé sur le pont, mais personne n'intervenait. Le capitaine était en train d'asseoir son autorité, on regardait comment il faisait. Même si son adversaire était représenté par le personnage le plus humble de l'équipage, le mousse…

Chacun savait qu'il aurait pu se trouver à la place de Guibert. L'altercation couvait depuis le début, tous prévoyaient qu'elle aurait lieu tôt ou tard, elle *devait* avoir lieu, donc elle avait lieu, là, à ce moment précis. Ensuite, les choses iraient mieux.

Les marins étaient néanmoins choqués : tout endurcis qu'ils fussent, ils ne s'étaient pas attendus à ce genre de violence. Des éclats de voix, oui, des jurons, bien sûr, des coups, sûrement, mais pas l'introduction forcée de cette bête de malheur dans la bouche du mousse.

Romule fut le premier à se ressaisir, face au capitaine qui s'acharnait sur le corps maintenant inerte du malheureux mangeur de lapereau. Il était intervenu, presque timidement :

— Il ne bouge plus, capitaine. Je crois qu'il l'a avalé…

Tibulle, instantanément dégrisé, s'était arrêté de frapper.

— Alors, nettoyez-moi cette cabine ! Toi, et toi ! avait-il ajouté en désignant deux marins. Les lapereaux, à la mer ! Tous ! Je ne veux pas de ça à bord ! Quatre, c'est déjà bien assez !

Puis, indiquant Guibert évanoui :

— Occupez-vous de lui ! Un seau d'eau, ça ira ! Et qu'il aide au nettoyage !

Il s'était dirigé, visiblement bouillant de colère, vers la barre, qu'il avait reprise à Giton, sans un mot.

Le silence avait régné à bord tout l'après-midi. Guibert, réanimé, avait essayé de vomir en s'enfonçant un doigt dans la gorge. Sur les conseils de ses semblables, il avait bu du café salé, et toutes sortes de breuvages divers, amers, acides ou odorants, destinés à provoquer la régurgitation de l'animal maudit qui lui déshonorait les entrailles.

Mais il avait eu beau faire, rien n'était remonté. Il était écrit qu'il digérerait son lapereau et haïrait Tibulle jusqu'à l'heure de la vengeance.

Vengeance qui était arrivée beaucoup plus vite que prévu, puisque le soir même, le mousse entendait la vigie annoncer l'apparition de quatre bateaux, qu'elle identifierait après, quand ils se seraient rapprochés, comme étant des goélettes floupes : deux à tribord et deux à bâbord. Ils étaient en très mauvaise posture.

15

Flopi, Pilaf et Pafou avaient pris les bonnes décisions, puisqu'ils avaient réussi à rattraper la *Vive-Aldie*, avec du renfort de surcroît.

En effet, Pafou, pendant qu'il tirait des bords d'est en ouest en attendant le passage de Tibulle, avait croisé la *Bête-au-Vent*, son premier bateau, jadis possédé en propriété indivise avec Flup et Flopi. Les trois Floups avaient parcouru un long chemin depuis l'époque où ils se succédaient à la barre et au commandement du bâtiment. Mais la triple capitainerie était demeurée une tradition en ce qui concernait la *Bête-au-Vent*, et Tilapia, dont c'était alors le tour de commander, avait répondu «Présent» immédiatement, dès lors que Pafou lui avait demandé de l'aide.

Les deux goélettes, le *Debuci* et la *Bête-au-Vent*, s'étaient partagé la zone à surveiller, et quand Tilapia avait cru reconnaître la *Vive-Aldie,* il avait averti Pafou. Puis, pendant que le premier entreprenait la filature du bateau transporteur de Nains, le second avait fait demi-tour pour informer Pilaf et Flopi de la route suivie, route qui semblait bien prendre la direction de Sondja.

Les trois Floups avaient dressé leur plan selon l'itinéraire présumé de Tibulle. Il paraissait à peu près sûr qu'il longerait la côte du pays de N'Dé vers le sud avant de virer à l'est pour couper le courant des Cocos et se retrouver au nord de l'île de tous les malheurs.

Pafou, Flopi et Pilaf avaient une chance de le rattraper en se faisant aider par le courant : à cette latitude, il n'était pas assez fort pour les dérouter, mais suffisamment puissant néanmoins pour unir sa force à celle du vent et permettre de rejoindre Tilapia d'abord, Tibulle ensuite.

Les goélettes avaient allègrement fendu les flots, établissant une fois de plus la preuve de la suprématie floupe en matière de construction navale. De plus, luxe suprême, grâce à Bélimbé, les figures de proue n'étaient plus des objets de risée générale.

Le trajet s'était déroulé comme prévu et, une fois les quatre bâtiments réunis, il avait été facile de s'organiser. Ils continueraient vers le sud, portés par le courant, et quand ils parviendraient à hauteur de la *Vive-Aldie*, Pafou et Tilapia poursuivraient leur route afin de la dépasser.

Si tout se passait comme ils l'espéraient, quand la *Vive-Aldie* virerait à l'est pour traverser le courant des Cocos, ils se trouveraient en face d'elle, Pafou et Tilapia à bâbord, Pilaf et Flopi à tribord.

Le plan était simple, et à quatre contre un, les chances de délivrer les Gnahorés s'annonçaient plus que bonnes. La prudence préconisait de ne pas livrer l'assaut à l'intérieur du courant et d'attendre la fin de la traversée pour attaquer.

L'élaboration de toute cette stratégie expliquait sans doute l'excitation de Pilaf, qui ne se tenait plus d'impatience. Il faisait mille projets avec les siens et dialoguait par gestes avec Flopi depuis le pont de son propre bateau. Plus que tout, il appréciait l'euphorie qui l'envahissait : son premier abordage le grisait.

Falop avait essayé de le calmer en prétendant que ce ne serait qu'un « petit combat de rien du tout », mais il n'avait pas réussi à doucher son enthousiasme pour autant.

Clafouti partageait son état d'esprit puisqu'elle se trouvait dans la même situation : elle n'avait encore jamais eu l'occasion d'assister, et encore moins de participer, à un abordage.

Elle aiguisait ses armes, vérifiait le fil de ses diverses lames, les polissant en tirant un bout de langue rose d'application, soufflant une fine buée dessus pour effacer une trace de doigt imaginaire.

Et Trompe ne se moquait pas d'elle, étant donné qu'elle agissait pareillement de son côté.

* * *

Plus tard, sur la *Vive-Aldie* aussi, quand on saurait, on fourbirait les armes.

Le courant des Cocos était déjà presque traversé lorsque la vigie avait discerné les minuscules silhouettes de quatre bâtiments se détachant sur l'horizon, sans pouvoir préciser leur appartenance.

Tibulle et ses marins n'étaient pas des débutants et ils avaient tout de suite songé aux difficultés à venir. Les annonces ultérieures de la vigie n'avaient fait que confirmer leurs suppositions.

— Ya du grabuge dans l'air… avait sombrement commenté Tibulle.

Au fond, il s'en réjouissait. Comme Pylore autrefois, aux prises avec un équipage à l'esprit surchauffé par la mort et la superstition sur l'*Amadeus*, le capitaine de la *Vive-Aldie* se rendait compte que ses marins avaient besoin de se défouler.

Une bonne bataille, au cours de laquelle on jouait sa vie, remettait les choses d'aplomb : il n'y avait plus de place pour les détails oiseux et superficiels du quotidien, seul comptait le primordial, à savoir garder la vie sauve.

Lui aussi avait envie de se battre. Il avait passé sa colère sur le mousse et il avait, certes, assis son autorité. Il s'en rendait compte aux changements minimes, mais significatifs, survenus dans ses relations avec les matelots : ceux-ci filaient doux et obéissaient immédiatement aux ordres. Mais Tibulle regrettait que cela se soit déroulé de cette façon : Guibert n'était pas un mauvais bougre et ce n'était pas lui qui avait le plus remis en question le pouvoir du capitaine.

Néanmoins, il avait quand même crié : « Il veut nous tuer ! Le capitaine veut nous tuer ! » Tibulle avait vu rouge face à cette accusation, d'autant plus injustifiée qu'il n'avait jamais été d'accord pour transporter les rongeurs. Il ne l'avait fait que poussé par la nécessité de ses dettes à acquitter et la menace de Ganelon d'embaucher quelqu'un d'autre. Lui aussi devait se soumettre à une autorité…

Le résultat était là, pourtant : il avait fait avaler de force à son mousse un lapereau nouveau-né, vivant !

Bien sûr, Guibert n'était pas végétarien et, comme tout le monde, il trouvait toujours trop congrue la portion de viande dans son écuelle. Et pour ce qui était des animaux vivants, il en consommait aussi, quand il s'agissait d'huîtres ou de moules. Mais un lapereau…

Tibulle se disait qu'une violente mêlée effacerait ces pensées négatives. Mais en même temps, il hésitait : quel espoir y avait-il pour lui et les siens, seuls contre quatre embarcations remplies de Floups ?

Il ne les connaissait pas seulement de réputation, il les avait déjà affrontés plusieurs fois, et il s'en était toujours sorti de justesse. La chance qui l'avait assisté dans le passé, le servirait-elle encore ? Pas sûr…

Ce fut sans doute l'incertitude de la réponse qui influença sa décision. Il ne livrerait pas bataille parce que les Floups en avaient ainsi décidé. Il ferait demi-tour et profiterait de la force du courant, jointe à celle du vent, pour leur échapper en prenant la direction du sud. Après tout, il avait contracté un engagement envers Ganelon, il était payé pour amener sa cargaison de Nains sur l'île et il le ferait, n'en déplaise à ces prétentieuses petites créatures !

Tibulle donna les ordres nécessaires pour rejoindre la zone centrale où le courant se ferait sentir avec le plus de puissance. Il perçut un flottement désapprobateur chez les Hommes qui s'étaient déjà préparés mentalement à l'assaut.

— Ils n'ont pas à décider pour nous ! lança-t-il en guise d'explication. Nous nous battrons quand nous l'aurons décidé !

En présentant la chose sous cet aspect, il changeait la donne. Les marins obtempérèrent, non sans laisser échapper quelques grognements, pour la forme.

Ils n'étaient pas assez naïfs pour ne pas se rendre compte de la situation. De toute façon, les Floups ne perdaient rien pour attendre. Et peut-être même, se disait Guibert, qu'on capturera un de leurs jeunes, qui deviendra mousse sur la *Vive-Aldie*, sous *mes* ordres !

Le bâtiment, une fois orienté dans le sens du courant, fila à toute allure vers le sud, sous l'effet conjugué de la puissance du vent et de la force de l'eau.

Les Floups saisirent très vite la tentative de fuite révélée par cette manœuvre et ne s'en émurent pas outre mesure. Un peu de poursuite avant l'assaut final pimenterait l'action. Un apéritif, en somme, avant le repas proprement dit.

Aucune intervention de Pafou et Tilapia ne vint donc contrecarrer les projets de Tibulle.

Ils auraient pu lui couper la route à leur tour en fonçant vers le sud et tout aurait fini très vite. Mais ils se sentaient l'âme joueuse…

Flopi, suivi de Pilaf, certes un peu moins rapide, rattrapa Pafou et Tilapia. Quelques signes furent échangés d'un pont à l'autre et il fut décidé qu'on suivrait la *Vive-Aldie* tant qu'elle fuirait vers le sud. L'assaut ne serait donné que lorsqu'elle tenterait de virer à l'est. La route vers l'ouest était bouchée sur une longue distance par le pays de N'Dé et la voie n'était libre pour les hommes que vers le sud. S'ils optaient pour l'ouest, c'était la terre, et l'est ou le nord, ce seraient les Floups.

Seul Pilaf ne se tenait plus d'impatience. Il aurait voulu attaquer immédiatement, et qu'on en finisse.

— Ce n'est pas tant la libération des Gnahorés qui l'intéresse que l'abordage! avait commenté Falop. À croire qu'il ne se rend pas compte du danger…

— On se demande d'où ça lui vient… avait répondu Plofi en souriant.

Mais malgré l'impatience de Pilaf, un jour entier s'écoula avant que la situation n'évolue. Tibulle savait qu'il ne pourrait se diriger indéfiniment vers le sud et que tôt ou tard, la bataille ferait rage.

Il ne se demandait même pas pourquoi les Floups en avaient après lui : les petites ordures détestaient les Hommes et ne perdaient pas une occasion de le leur prouver. Néanmoins, il était rare qu'ils se mettent à quatre contre un. Ce chiffre fatidique n'était sans doute pas le fruit du hasard : il résultait évidemment de la présence sur la *Vive-Aldie* des «bêtes de malchance» comme il les appelait.

Tibulle, en effectuant son demi-tour devant Pafou et Tilapia, n'ayant pas vu de Nain à bord, n'avait établi aucun rapport entre les passagers imposés par Ganelon et ses poursuivants. À tel point qu'un plan naissait dans son esprit...

Selon lui, les Floups, ignorants du contenu de ses cales, sous-estimaient ses forces. S'il armait les Gnahorés contre eux – avec la ferme intention de les désarmer lorsque le danger serait écarté –, il augmenterait d'autant le nombre de ses combattants et ses chances de vaincre s'en trouveraient renforcées.

Parce que, dans l'immédiat, elles lui semblaient plutôt réduites, ses propres chances. Déjà que les Floups, en temps normal, remportaient la victoire plus souvent qu'à leur tour... Dans la situation présente, à quatre contre un, ils étaient assurés de gagner une fois de plus. Sauf si les adversaires se révélaient plus nombreux que prévu… En y ajoutant l'effet de surprise…

Tibulle se raccrochait à cette pensée, refusant l'idée, quand elle se présentait, des Gnahorés piètres combattants. C'était vrai qu'ils n'avaient pas l'air bien redoutable, dans leur accoutrement coloré, précédés de leurs jérémiades qu'on entendait partout sur le bateau… Mais c'étaient des Nains malgré tout, et la réputation de ces derniers n'était pas des meilleures non plus.

* * *

Tibulle mûrissait son plan en silence. Il abandonna finalement la barre à Giton et descendit seul dans la cale, afin de mieux étudier les guerriers appelés à constituer une armée de renfort.

Dès son apparition, il fut salué par une marée de demandes diverses, concernant uniquement le bien-être de ses passagers. Bien que rappelé à la réalité par leur attitude – jusqu'à quel point pouvait-on leur faire confiance pour livrer bataille? – il ne se laissa pas décourager pour autant et se mit aussitôt à les haranguer.

— Si vous voulez obtenir ce que vous réclamez, il faut le mériter. Et pour cela, vous devrez lutter. Les Floups sont à nos trousses et le seul moyen de s'en débarrasser, c'est de combattre. Êtes-vous prêts ?

En guise de réponse, Tibulle fut assailli par une multitude de questions. Elles fusaient de partout et, au moment où, submergé, il allait renoncer à son idée, il entendit, dans le tumulte général, la phrase qu'il espérait.

— Oui, nous combattrons, avec la promesse que lorsque tout sera terminé, vous ne nous remettrez pas dans ce réduit puant la marée !

C'était WaNkoké qui parlait. Tibulle ignorait à qui il avait affaire mais il saisit au vol la perche qu'on lui tendait. Il fit un geste apaisant pour calmer les esprits, puis désigna du doigt le grand prêtre des Gnahorés.

— Voilà qui est bien dit ! Vous vous battrez à nos côtés pour défendre la *Vive-Aldie* contre les Floups. Et la preuve que la confiance règne entre nous, c'est qu'on vous fournira des armes. Je vais les chercher…

Sans laisser aux Nains le temps d'émettre une objection à l'assertion de WaNkoké, il remonta sur le pont et fit part de ses intentions à l'équipage.

— Alors, c'est clair pour tout le monde ? Les armes habituelles pour nous. Et pour eux, les pics et les pioches qu'on devait leur distribuer sur l'île. C'est encore avec ça qu'ils seront le plus adroits…

— Et s'ils refusent de les rendre après la bataille ? objecta Zécler.

— De gré ou de force, il faudra bien les récupérer. De toute façon, avec eux, on n'est pas du tout sûr de l'emporter contre ces démons de Floups. Mais sans eux, on est sûrs de perdre !

Ce dernier argument finit de convaincre l'équipage. Tibulle fit distribuer les armes et quand les Nains, éblouis par la luminosité du dehors, se trouvèrent sur le pont, armés qui d'un pic, qui d'une pioche, il donna l'ordre de virer à l'est.

Tout s'était déroulé très vite, mais les Floups, vigilants par nature, ne furent pas pris de court pour autant. Alors que Tilapia faisait du sur-place pour demeurer par tribord avant, Pafou manœuvra rapidement pour se placer de l'autre côté de la *Vive-Aldie*, par bâbord avant.

Flopi et Pilaf arrivèrent derrière, et Tibulle et les siens se retrouvèrent cernés en moins de deux. Non seulement l'effet de surprise escompté sur les Floups par la présence de passagers armés n'eut pas lieu, mais ce fut l'inverse qui se produisit : les Hommes découvraient des Nains sur les deux goélettes situées à la poupe, et leur étonnement n'avait d'égal que celui des Gnahorés.

Ceux-ci regardaient, interdits, leurs frères prêts à livrer bataille aux côtés des Floups, et ils se demandaient qui était prisonnier de qui. Pourquoi Mossi et Étibako étaient-ils armés? Que faisaient-ils là, d'ailleurs? Et Doumbénény? Et les autres? D'où sortaient-ils?

Heureusement, Doumbénény intervint promptement et, saisissant le porte-voix de Flopi, il prit la parole:

— Nous venons vous délivrer, mes frères. Embarquez rapidement dans le bateau de votre choix, nous nous occuperons des Hommes pendant ce temps.

— Ils mentent! hurla Tibulle. C'est un piège! Ils sont prisonniers des Floups!

— Mais pourquoi sont-ils armés, alors? demanda Abomé, perplexe devant ce problème qui dépassait son entendement.

— Vous êtes bien armés, vous aussi! répondit Zécler du tac au tac. C'est pareil pour eux!

Il y eut un moment de flottement chez les Nains des deux camps, chacun se posant la même question au sujet des autres: comment des prisonniers pouvaient-ils être armés?

WaNguira fut le premier à se ressaisir:

— Nous ne sommes pas prisonniers! Nous sommes venus vous délivrer!

Abomé, s'efforçant toujours de comprendre, fit un pas en direction du *Sibélius* pour se rapprocher de son interlocuteur. Mais Giton, placé devant lui, interpréta mal son geste et se crut attaqué dans le dos. Il répondit d'un coup de sabre qui trancha net le cou d'Abomé. Ce premier sang répandu déclencha les hostilités entre Hommes et Floups. Ceux-ci, venus de partout, de la proue comme de la poupe, envahirent le pont de la *Vive-Aldie*.

Les Nains, d'abord interdits, suffoqués par l'horreur de cette première mort, eurent tôt fait de réagir eux aussi. Mais alors que Mossi s'élançait en criant pour rejoindre son père, Zécler tendit sa lance et lui transperça la poitrine. WaNkoké, en se portant à son secours, reçut un couteau dans le dos et tomba pour ne plus se relever.

Ce que voyant, Étibako bondit, mais au moment où il passait d'un bateau à l'autre, un des marins lui assena sur la nuque un violent coup du tranchant de la main, qui le précipita à l'eau, le cou cassé.

En peu de temps, il y avait eu quatre victimes chez les Gnahorés. Les survivants, en s'avisant que les leurs périssaient sous les attaques des Hommes, comprirent enfin la manipulation dont ils avaient été l'objet. Ils se retournèrent contre leurs ennemis fraîchement découverts, prêtant ainsi main-forte aux Floups qui arrivaient de partout.

Très vite, ce fut aussi l'hécatombe chez les Hommes.

Tibulle fut bousculé par Guibert, aux prises avec Pilaf et Clafouti qui le harcelaient en le piquant de plus en plus fort avec leurs couteaux. Le capitaine, perdant l'équilibre, se raccrocha à un des tonneaux qui contenait les lapins et le renversa.

La bataille faisait rage, mais les rongeurs libérés jetèrent un froid chez tous ceux qui les aperçurent. Qu'est-ce que cela signifiait? Comment interpréter ce mauvais présage? À qui était-il destiné? Pendant un bref laps de temps, les lutteurs baissèrent leur garde, aux prises avec l'une des plus vieilles superstitions de la marine.

Profitant du flou qui régnait, Tibulle attrapa par les oreilles la lapine qui avait mis bas la veille et la lança sur le *Sibélius*. Bien qu'agissant à toute vitesse, Flopi prit le temps de zébrer le cou du capitaine d'une profonde traînée écarlate avant de rejoindre son bâtiment: il fallait se débarrasser au plus vite de l'horrible rongeur avant qu'il ne commette d'irréparables dégâts.

Heureusement, Bandélé, faisant pour une fois preuve de vivacité d'esprit, avait capturé la lapine. Comme il ne savait qu'en faire, il renvoya sur la *Vive-Aldie* l'encombrant animal.

La lapine, affolée, plus morte que vive, cherchait désespérément un refuge, lorsqu'une autre main la saisit et la balança sur la *Bella-Bartoque*.

Cette fois, ce fut Loki qui la reçut et la renvoya sur-le-champ d'où elle venait. Tout allait très vite et une certaine pagaille commençait à s'installer.

16

Les Floups, comme les Hommes, avaient perdu un peu de leur concentration, ce qui était mauvais signe. Flopi le comprit et donna le signal du départ : deux fois de suite, un lapin sur un bateau floup, c'étaient deux fois de trop. Et quatre victimes chez les Nains, sans compter celles des Hommes, cela signifiait que les prochaines seraient pour les Floups. Il siffla, en effectuant plusieurs tours rapides sur lui-même pour se protéger.

— Allez, on repart ! Pas la peine d'insister, ce bateau pourri prendra l'eau bientôt. Les Nains, vous embarquez, et vite !

Il vit les Gnahorés se charger des corps sans vie de Mossi, WaNkoké et Abomé. Il eut envie de leur crier que c'était une perte de temps, mais il les comprenait : les Floups, en pareille situation, n'auraient pas agi différemment. Ils auraient aussi récupéré les dépouilles des leurs.

Mais là où la surprise l'immobilisa, le mettant ainsi en danger, c'est quand il se rendit compte que *tous* les Gnahorés se dirigeaient vers le *Sibélius*! Son sang ne fit qu'un tour.

— Mais pas tous sur le même bateau, par tous les diables des océans! hurla-t-il. Dispersez-vous, bon sang de bonsoir!

Mais les Gnahorés effrayés, traumatisés par les pertes subies, firent la sourde oreille: ils continuèrent leur embarquement sur le Sibélius, blêmes de peur, lourdauds et colorés.

Plofi, Pilaf, Trompe et Clafouti vinrent prêter main-forte à Flopi pour protéger les arrières des passagers qui embarquaient. Ils souriaient tous plus ou moins, mais Pilaf, pour sa part, jusqu'aux oreilles. Une fois de plus, Flopi devrait reconnaître la supériorité de son jugement: les Nains évoluaient en bande, toujours, comme un banc de petits poissons.

Pilaf, heureux de sa supériorité momentanée sur le capitaine du *Sibélius*, ne vit pas venir le coup: Guibert lui zébra le bras d'une longue estafilade, superficielle heureusement.

Aussitôt rappelé à la réalité, le jeune Floup planta son couteau dans la cuisse du mousse qui s'effondra avant de pouvoir s'éloigner.

— Tu n'en mourras peut-être pas, mais tu te souviendras de moi, moussaillon: Pilaf! Je m'appelle Pilaf! Le capitaine Pilaf!

Ce disant, il avait retiré son couteau de la cuisse du malheureux Guibert et avait dessiné un P sur sa poitrine dénudée.

— N'oublie pas! P comme Pilaf! Je ne te tue pas cette fois-ci pour que tu te rappelles!

Les Nains ayant fini par embarquer, il sauta lestement sur le pont de la *Bella-Bartoque* et donna, comme Flopi, Pafou et Tilapia, le signal du départ.

On avait récupéré les Gnahorés, les Hommes se débrouilleraient comme ils pourraient, avec leurs damnés animaux en liberté sur ce qui deviendrait peut-être leur cercueil. Tant pis pour eux!

Pilaf ne put s'empêcher de penser que la vie était belle, à certains moments. Il avait opéré son premier abordage et il avait reçu sa première blessure. Enfin!

* * *

Les goélettes prirent la direction du sud, s'éloignant rapidement du bateau porte-malheur, ce clapier flottant qui se condamnait lui-même aux pires avanies, en transportant de tels passagers.

Pilaf était l'un des rares à se réjouir de cet abordage, en compagnie de Clafouti qui léchait ses estafilades comme un petit animal sauvage.

Les Gnahorés demeuraient effarés par la perte de leur chef, de leur grand prêtre et de leurs deux successeurs. Ils se sentaient complètement démunis face à l'avenir, dans l'incapacité de décider quoi que ce soit. Qu'adviendrait-il d'eux?

L'angoisse leur enserrait la gorge en pensant au futur. Cela faisait tellement longtemps qu'Abomé décidait de ce qui serait bon pour la tribu tout entière…

WaNguira, devinant ce qui se passait, se mit en mesure de les rassurer, aidé par Nihassah et Bandélé, en leur décrivant l'archipel de Faïmano. Ils leur donnaient des nouvelles de leurs frères déjà installés, leur précisant qu'ils pourraient disposer d'une île pour eux seuls, sauf s'ils préféraient s'établir ailleurs.

Dans l'immédiat, il fallait rendre les derniers hommages aux défunts et pour cela, il serait nécessaire d'innover.

Dans les temps du Commencement, les cavernes de Sangoulé recélaient des sources pétrifiantes dans lesquelles on déposait les Nains morts, qui se retrouvaient ainsi enfouis pour une durée indéfinie dans la pierre.

Après le Premier Exode, les Nains avaient continué à retourner les corps de leurs semblables à la Terre, en les abandonnant à la roche liquide. Seuls les Gnahorés, ne disposant pas de lave dans les collines de Koulibaly, avaient eu recours à une momification sommaire, consistant principalement en la dessiccation des corps. Par la suite, quand ils avaient émigré dans les villages de la côte, ils avaient choisi d'incinérer leurs morts. D'une manière ou d'une autre, le retour à la Terre avait toujours été de mise.

Dans les circonstances présentes, il semblait difficile de procéder ainsi. Cependant, même si la première idée qui s'imposait, c'était celle du rejet des corps à la mer, elle causait un frémissement d'horreur chez tous les Nains.

WaNguira cherchait désespérément une solution, sans en trouver. On pouvait espérer garder les cadavres un jour, mais pas plus. Très vite, la putréfaction provoquerait une odeur insoutenable. Et puis, faudrait-il encore que les Floups acceptent… Leur arrivait-il de conserver les dépouilles de leurs défunts jusqu'au retour à terre? Comment? Le grand prêtre avait entendu Plofi raconter des histoires de corps préservés dans un tonneau d'alcool, mais qu'y avait-il de vrai dans les affabulations de ce conteur né?

Nihassah, comme si elle avait suivi le cheminement des pensées du grand prêtre, s'était approchée.

— Je crois que nous n'aurons guère le choix pour les funérailles. Puisqu'il ne peut être question d'incinération ou d'enterrement, nous devrons sans doute procéder comme les gens de mer : la mise à l'eau s'impose.

WaNguira connut, sentiment extrêmement rare chez lui, un moment de découragement.

— Il est dit que les Nains doivent renoncer à leurs plus anciennes traditions… Nous aurons été bien malmenés, pendant ce dernier siècle…

— Et bien récompensés aussi : maintenant, nous avons une terre à nous ! rectifia Nihassah. Peut-être qu'il fallait en passer par là pour que la prophétie se réalise ! Tout n'a été qu'un vaste enchaînement de faits, finalement…

— Mais elle est réalisée depuis plusieurs années, à ce jour ! Alors, pourquoi cette épreuve supplémentaire ?

— Sans doute le prix à payer pour l'unité de la nanitude. Nous serons tous ensemble, bientôt. Tous les Nains, tu te rends compte ! Même les Gnas…

— On dirait que c'est toi qui me donnes des leçons, aujourd'hui ! sourit WaNguira. Place à la jeunesse et à l'innovation…

— «Adaptation» serait un terme plus exact. Notre monde change, nous devons nous adapter…

— Tu as sans doute raison. Mais ce n'est pas toujours facile… Je vais voir Flopi, je te laisse le soin de convaincre tes frères.

* * *

Les Gnahorés étaient trop abasourdis pour pouvoir s'opposer à quoi que ce soit et Nihassah les persuada aisément. Ils avaient perdu leur superbe et subissaient un décapage mental qui les rapprochait de leurs racines : ils redevenaient des Nains et ne traitaient plus leurs semblables de haut.

Après concertation entre Flopi, WaNguira et les trois autres capitaines, les quatre goélettes s'immobilisèrent en formant un cercle, le temps d'une brève cérémonie animée par WaNguira, avant que les dépouilles mortuaires ne soient précipitées dans les flots.

Un suaire enveloppant une planche représentait symboliquement Étibako, dont on n'avait pas pu repêcher le corps.

* * *

Chez les Hommes, la même cérémonie avait lieu, un peu plus au nord. Les marins encore valides avaient pris soin de ceux qui se trouvaient plus mal en point qu'eux, puis s'étaient occupé de leurs morts, neuf au total, ce qui était beaucoup. Cela, sans compter les agonisants qui trépasseraient des suites de leurs blessures, occasionnées par les armes empoisonnées de certains Floups.

Ceux-ci avaient vaincu une fois de plus, se disait sombrement Tibulle, en proie à la fièvre, et d'autant plus furieux qu'il n'en avait vu périr aucun. Des blessés, oui, mais pas de morts, sauf chez les Nains. Saletés de demi-créatures, tous autant les uns que les autres, se répétait-il. La taille réduite des Floups n'en faisait pas des moitiés d'adversaires, c'étaient de redoutables protagonistes et il ne s'en méfierait jamais trop. Mais quelles ordures, quand même! De véritables petites crapules!

En présence de l'équipage, il rendit les derniers hommages aux disparus avant de les livrer aux flots. Puis, sans mot dire, il précipita à la mer les tonneaux contenant les lapins qui avaient été capturés. Il se sentait de plus en plus étourdi.

Curieusement, les tonneaux ne se vidèrent pas de leur contenu, ne se retournèrent pas, et voguèrent un bon moment de conserve avec la *Vive-Aldie* avant que celle-ci ne les distance. La vue de ces frêles embarcations avec leurs passagers aux longues oreilles, affolés, debout sur leurs pattes de derrière, constituait un funeste présage de plus pour Tibulle, qui craignait maintenant d'affronter autant Ganelon que ses créanciers. Et les mauvaises bêtes qui se dédoublaient devant ses yeux… Il en voyait deux, parfois trois, là où se tenait précédemment une seule…

Il proposa la fuite à ses marins, avec un établissement dans les Contrées de l'Est, mais ceux-ci, le jugeant responsable de leurs déboires, se mutinèrent et mirent fin à ses jours.

— De toute façon, il allait mourir, conclut Giton, qui avait porté le coup fatal et qui prit aussitôt le commandement de la *Vive-Aldie*. Ça se voyait dans ses yeux, qu'il avait la fièvre ! Ce n'est donc pas une mutinerie. Il est mort empoisonné ! On rentre à la maison ! Direction Shango, pour rendre compte à Ganelon !

* * *

Alors que la *Vive-Aldie* repartait vers le nord avec son lot d'éclopés, les Floups faisaient route vers le sud-ouest.

Flopi pensait, sans aucune nostalgie, que c'étaient les derniers passagers nains qu'il rapatriait vers Orfie. Toutes ces années avaient été remplies par eux, par leur histoire, leurs voyages, et les péripéties dues à la réalisation de leur prophétie. Il s'était donné sans restriction et n'en éprouvait aucun regret. Même l'épopée des Gnahorés s'était bien achevée puisqu'ils retrouveraient finalement les leurs sur la terre promise. Évidemment, si on ne tenait pas compte des pertes subies…

Flopi se demanda s'il s'ennuierait dorénavant. Absolument pas! Fini le dévouement, terminée, la magnanimité, envolé, le justicier désintéressé, il reprendrait son existence d'écumeur des mers et parcourrait les océans en compagnie du galapiat, en quête de pillages et de rapines à effectuer au détriment des Hommes.

La vie s'annonçait belle et la traversée se déroulerait sans problème. Où alors, on les résoudrait élégamment quand ils se présenteraient!

* * *

Pafou et Tilapia, au lieu de continuer vers Orfie, prirent la direction de Plie. Ils rendraient visite aux Nains après.

Flopi observait discrètement ses passagers et s'en amusait. Effectivement, ceux-ci s'assemblaient toujours en une masse compacte, parlant et discutant, ressassant les derniers faits, allant même jusqu'à faire des projets. De temps en temps, il échangeait quelques signes avec Pilaf, jamais très loin, et tous les deux riaient.

Mais les Gnahorés ne s'en émouvaient pas outre mesure, tout à la joie de la liberté retrouvée.

Les événements récents leur avaient ouvert les yeux sur la conduite d'Abomé, tellement désireux de plaire aux Hommes et de les imiter, et son aliénation. Non seulement cela ne lui avait pas porté chance, mais certains commençaient à se dire que sa mort ne serait peut-être pas inutile. *La fortune termine toujours l'infortune*, répétaient-ils avec un rien de fatalisme dans la voix.

Comme aux Kikongos, une occasion leur était offerte de prendre un nouveau départ. Ils envisageaient avec une certaine impatience leur installation sur Rahiti, aux côtés des fondateurs du *Chemin des rebelles nostalgiques*.

Ne pas réélire un chef, c'était finalement devenir son propre chef, avec ce que cela comportait de liberté, bien sûr, mais également de responsabilité et d'autodiscipline. Ils se sentaient prêts à embrasser ce mode de vie en dehors d'un pouvoir qui s'était prétendu éclairé tout en les conduisant à l'obscurantisme de l'asservissement à l'étranger.

Doumbénény n'était pas le moins passionné par cette nouvelle organisation sociale.

Transformé en l'un des plus ardents défenseurs du *Chemin des rebelles nostalgiques*, il réfléchissait activement aux problèmes qui pouvaient se poser à une société évoluant sans personne à sa tête.

La notion d'absence de propriété le laissait rêveur : il assurait que c'était un retour aux sources puisque les Nains, traditionnellement, avaient adopté un système plutôt communautaire. Il se demandait à quel moment de leur histoire le besoin du chef s'était fait sentir et comment on en était arrivé au style de vie actuel, qui lui semblait maintenant étouffant, sous l'égide de dirigeants.

— Mais vous n'étiez pas obligés de suivre votre chef ! lui rappelait parfois WaNguira. C'était aussi votre choix, de l'accompagner dans les villes des Hommes. Il ne pouvait pas vous y forcer ! Le Nain est libre au sein de la tribu !

— Oui, peut-être. Mais il y mettait une telle pression ! C'était dur, de résister…

— Pourtant, certains l'ont fait ! Fé et Bélimbé sont partis, et ensuite, Édé et les autres…

— Eh bien, nous les rejoindrons, et nous vivrons sans chef ! Et sans grand prêtre… ajoutait-il en souriant.

Impatient d'arriver, il meublait le temps grâce aux longues conversations qu'il entretenait avec Nihassah, Bandélé et le grand prêtre. Il les interrogeait sans relâche, posant à chacun des questions identiques pour ne perdre aucun détail qui aurait été omis par l'un ou l'autre, désirant tout apprendre de ce qui s'était passé depuis le début. Et à force de se faire raconter les mêmes épisodes par chacun des trois Lisimbahs, de glaner des informations auprès des Floups eux-mêmes, il finissait par avoir une vision assez complète des événements qu'il n'avait pas vécus.

Le voyage lui semblait néanmoins plus long qu'aux autres : c'était la deuxième fois qu'il le faisait, mais cette fois-ci, il avait hâte de s'installer à Faïmano.

Quand, enfin, ils arrivèrent dans les eaux de l'archipel, Doumbénény fut le premier à bondir dans l'embarcation que Flopi faisait mettre à la mer pour rejoindre la plage.

Il fut aussi le premier à sauter hors de la barque, pas encore échouée sur le sable : il se retrouva les pieds dans l'eau, mais peu lui importait. Le Nain d'avant était mort, c'était un nouvel individu qui voyait le jour dans ce pays tout neuf, accouché par la mer elle-même.

En effet, l'eau ne l'effrayait plus. Il pataugeait à la lame battante, éprouvant avec délice la sensation du liquide sur ses jambes.

Puis, obéissant à un appel irrésistible, il s'assit dans l'eau, sans égard pour ses vêtements qui se mouillèrent instantanément. C'était à la fois surprenant et agréable !

Loki, arrivé peu après avec la barque de Pilaf, s'installa sagement à côté de lui, pendant que Txabi courait à la rencontre de Gaïg sur la plage. Même si certains furent étonnés par l'attitude calme du Pookah, si différente de sa pétulance habituelle, personne n'émit la moindre remarque.

Tous se livraient à la joie des retrouvailles sur la plage, Gaïg n'étant pas une des moins contentes dans le câlin qu'elle faisait à Txabi et à Nihassah en même temps. Depuis le temps qu'elle les attendait… Elle s'était inquiétée pour Txabi et avait mis du temps à se convaincre qu'il ne lui était rien arrivé et qu'il était parti de son plein gré.

Doumbénény, sans se préoccuper des siens, agitait l'eau autour de lui, comme un enfant qui rame avec les bras en les déplaçant d'avant en arrière. Il saisit une poignée de sable mouillé qu'il laissa couler entre ses doigts. Cela devint un jeu et Loki l'imita.

Jusqu'à ce que le Gnahoré referme la main sur le coquillage qu'il avait ramassé en même temps que le sable.

17

C'était un cadeau de l'île, ou de la mer, ou des deux : il garderait toujours précieusement ce don reçu à son arrivée. Doumbénény écarta délicatement les doigts pour admirer son présent de bienvenue. Le coquillage ?

Tout d'abord, il n'en crut pas ses yeux. Et pourtant, si, c'était bien une perle de Nyanga qu'il tenait dans la main ! Là, nichée au creux de sa paume mouillée, scintillant comme un soleil miniature !

Si personne n'en avait trouvé depuis son propre départ de Faïmano, ce serait la première perle de Nyanga découverte sur l'île ! Parce que Nihassah et WaNguira lui avaient expliqué, sur le bateau, le désespoir secret des Nains : ils n'avaient jamais pu prouver leur reconnaissance aux Sirènes. Hormis les trois perles remises à Dikélédi par Mama Mandombé lors de leur arrivée sur l'île, le *Grand-jour du-renouveau-des-Nains*, ils n'avaient jamais déterré le moindre petit éclat de Nyanga dans les profondeurs de cette nouvelle terre.

Les Sirènes ne s'étaient jamais plaintes de quoi que ce soit, mais une certaine gêne avait fait son apparition. Ils avaient cherché, pourtant. Ce n'était pas faute d'avoir creusé, avec toutes les grottes qu'ils avaient créées, ou simplement agrandies… Et les Kikongos, fidèles à leur surnom de Nains des sables, avaient tamisé des plages entières en quête du précieux minerai. Ils avaient récupéré de l'or, beaucoup d'or, certes, mais pas la moindre perle de Nyanga

Doumbénény regardait le joyau, fasciné par sa brillance, accrue par le fait qu'il était mouillé. Le cœur rempli d'émotion, il se disait pourtant que ce cadeau n'était pas pour lui : il ne pourrait pas le garder, il savait à qui il était destiné. À ses yeux, cela devenait un signe : plus jamais la propriété !

On lui donnait, il recevait, et il transmettait. Il était grisé par l'idée de ne rien posséder, par le sentiment de liberté entraînée par le dépouillement, le dénuement, même. En ne possédant rien, il ne serait plus jamais esclave, ni des choses, ni des êtres. Quelle beauté, dans cette pensée !

Peut-être aurait-il prolongé ce moment sacré de la découverte, celui où l'idée abstraite devient du vécu dans l'esprit de l'individu, mais c'était compter sans Loki. Interpellé par l'immobilité subite du Nain, il avait à peine jeté un coup d'œil dans la paume de Doumbénény qu'il bondissait à côté de lui, avec force éclaboussures, en criant pour attirer l'attention de ceux qui s'étreignaient en se congratulant sur la plage.

— Il a trouvé une perle de Nyanga! Héééééé! Doumbénény a trouvé du Nyanga! Une perle! Venez voir! Il a trouvé du Nyanga!

Les Nains, d'abord interloqués, s'approchèrent d'une seule masse, les plus méfiants – ou ceux qui le connaissaient mieux… – se demandant s'il s'agissait une fois de plus d'une blague du Pookah. Comme si on plaisantait avec ces choses-là… Ces créatures facétieuses ne respectaient rien, décidément…

Mais les premiers arrivés, les plus proches, confirmèrent la chose sans attendre: c'était vrai, Doumbénény avait trouvé une perle de Nyanga! La première, depuis leur débarquement à Faïmano, si on ne comptait pas celles offertes par Mama Mandombé le *Grand-jour du-renouveau-des-Nains!* À ce jour, personne n'avait découvert de perle.

Les Nains se pressaient pour admirer le Nyanga, émus comme chaque fois qu'un des leurs arborait pour la première fois un bijou du précieux minerai. Gaïg regardait également, le cœur en fête en pensant aussi bien aux Sirènes qu'aux Nains.

Elle se demandait comment rejoindre WaNdo le plus rapidement possible : par terre ou par mer ? Parce qu'il avait eu raison et qu'elle tenait à le lui annoncer !

Il lui avait confié que tant que les Nains ne seraient pas tous rassemblés à Faïmano, ils ne découvriraient pas de perle de Nyanga. La prophétie n'était pas encore, quoiqu'on en dise, totalement réalisée, puisque les Gnahorés ne s'étaient pas établis sur la terre offerte par Mama Mandombé aux siens.

Selon lui, c'est quand les Nains seraient tous réunis qu'ils trouveraient du Nyanga, et pas avant. Et, Gaïg s'en rendait compte, c'était exactement ce qui s'était passé.

Les goélettes floupes étaient arrivées avec leur ultime lot de passagers nains et toutes les tribus, ou du moins ce qu'il en restait, s'étaient retrouvées ensemble dans l'archipel. Alors, comme par hasard, c'était justement un Gnahoré qui découvrait la première perle ! Gaïg n'en revenait pas, mais comme les autres Nains avaient l'air aussi stupéfaits qu'elle…

Elle hésitait toujours sur le choix du trajet pour atteindre WaNdo le plus rapidement possible, lorsqu'elle vit un groupe de Nains déboucher de l'orée de la forêt: le grand prêtre des Kikongos, entouré des siens et des Gnahorés de Rahiti.

Évidemment! Comment avait-elle pu se montrer aussi naïve? Les nouvelles allaient vite, chez les Nains, elle devrait le savoir, depuis le temps qu'elle les fréquentait!

Dès que les bateaux avaient été en vue, l'alerte avait été donnée parce qu'on craignait toujours une invasion étrangère. Puis, quand on avait reconnu les pavillons floups, les uns s'étaient empressés d'informer les autres. Ce qui avait donné suffisamment de temps aux plus éloignés pour se mettre en route.

Les distractions étaient rares, à Faïmano, et les arrivées et départs de goélettes floupes faisaient partie des événements que nul n'aurait volontiers manqués. Sauf Gilliatt…

Il était toujours absent au moment de la visite des Floups, sans doute peu désireux d'essuyer leurs moqueries, ou même, pire, un changement de décision quant à la possibilité de le laisser en paix sur l'île. Malgré l'acceptation des Nains. Qui pouvait savoir, avec eux?

Il s'était installé sur l'îlot de Jama, à l'extrême sud de Faïmano, celui qui cachait l'entrée de la passe de Tuatini, et ne le quittait guère.

Les Nains lui rendaient quelquefois visite et il avait noué amitié avec certains d'entre eux. Kalenda l'aimait bien, elle l'informait de tout ce qui se passait sur les différentes îles de l'archipel et elle arrivait parfois à le faire rire.

Qu'il ne soit pas venu accueillir les goélettes n'étonnait nullement Gaïg, et elle courut vers WaNdo afin de lui annoncer la nouvelle: la grande famille des Nains réunis, un Gnahoré avait découvert la première perle de Nyanga.

Nihassah, en la voyant courir, se fit la réflexion qu'elle avait encore grandi en son absence. Elle s'était beaucoup affinée ces dernières années et n'avait plus rien de la petite fille boulotte d'autrefois. Non qu'elle fût devenue extrêmement mince: de par sa nature de Sirène, elle ne le serait jamais. Mais elle était grande et bien découplée, harmonieuse dans la générosité de son corps.

Cela faisait longtemps qu'elle avait dépassé les Nains en hauteur, mais Nihassah, pour la première fois, eut l'impression d'avoir affaire à une jeune géante. Avec la grande taille de Gilliatt associée à son ascendance maternelle, il était inévitable qu'elle ait ce physique un peu… déroutant pour les Nains.

Dans l'esprit de Nihassah surgit la fugitive vision du bébé minuscule, bleu de froid, qu'elle avait recueilli sur la plage, près de sa mère morte. Toutes ces années écoulées, depuis… Une bonne dizaine, passées au village, à essayer de protéger Gaïg contre les autres et contre… elle-même ! Parce qu'elle se montrait déjà impétueuse et volontaire !

Ensuite, plusieurs longs mois de séparation, pendant lesquels Gaïg avait vécu toutes ces périlleuses aventures, qui auraient pu lui coûter la vie…

Puis l'arrivée sur l'île, il y avait de cela plus de cinq ans, maintenant… Il était inévitable qu'elle change et grandisse, sa petite Gaïg : ce n'était pas une Naine !

Nihassah sourit pour elle-même : Gaïg avait gardé en elle et développé beaucoup de valeurs naines. Son caractère et sa mentalité avaient été modelés davantage par Nihassah que par Garin et Jéhanne, que l'enfant d'alors avait toujours rejetés. Il est vrai qu'ils ne s'étaient guère montrés à la hauteur non plus, dans leurs relations avec Gaïg…

Mais Yémanjah avait averti la mère adoptive qu'il ne fallait pas la choyer et en faire une créature faible et sans défense. En la laissant affronter l'adversité, Nihassah en avait fait une guerrière, une personne autonome, apte à se défendre par elle-même. Cela n'avait pas toujours été facile et, plus d'une fois, la Naine avait tu les élans protecteurs qui jaillissaient naturellement en elle, pour exhorter Gaïg à avancer.

Elle avait eu raison, à en juger par l'assurance de la jeune fille qui se déplaçait aujourd'hui sur le sable. Dire qu'elle était à moitié Sirène... On lui confierait la perle découverte par Doumbénény et elle se chargerait de la remettre aux Sirènes.

Finalement, c'était maintenant que tout commençait...

LEXIQUE

Abomé : Nain, chef de la tribu des Gnahorés.

Adjo : Naine de la tribu des Kikongos.

Affé : Nain, un des cinq enfants de
Mama Mandombé, à l'origine d'une
des cinq grandes familles de Nains.
Emblème : la sphère, représentée à plat
par un cercle.

Afo : Naine, sœur jumelle de Keyah. Amie de
Bélimbé le sculpteur.

Ahibo : Nain de la tribu des Gnahorés.
Cofondateur du *Chemin des rebelles nostalgiques*.

Ahutiare : la plus grande île de Faïmano,
enserrant la mer intérieure au nord et à
l'ouest.

Amadeus : bateau de marchands pirates des
Contrées de l'Est sur lequel Gilliatt était
marin.

Amélé : Nain de la tribu des Gnahorés.
Cofondateur du *Chemin des rebelles nostalgiques*.

Anani : Nain de la tribu des Gnahorés.

AtaEnsic : Licorne femelle ayant perdu sa
corne, amie de Mfuru.

Awah : Naine, chef du village de Ngondé.

Baalââ : langue sacrée des Nains.

Babah : Nain, ami de Mukutu.

Bamiléké : Nain de la tribu des Gnahorés.

Bandélé : Nain Lisimbah, fils de Matilah. Amoureux de Nihassah dont il est le frère de lait.

Batuuli : Naine, mère de Nihassah, épouse de Mukutu, décédée.

Bayé : Naine Lisimbah, amoureuse de Tiyoko.

Bélimbé : Nain, sculpteur gnahoré, ami d'Afo.

Bella-Bartoque : bateau de Pilaf.

Bête-au-Vent : premier bateau de Flopi, en propriété indivise avec Flup et Pafou.

Boubakar : Nain de la tribu des Pongwas.

Chimère : île imaginaire pour les Hommes, réelle pour les Floups qui l'appellent Orfie, et qui est en réalité l'archipel de Faïmano, domaine des Sirènes.

Clafouti : Floupe, mousse à bord de la *Bella-Bartoque*.

Contrées de l'Est : territoires lointains, à l'est de la mer d'Okan.

Debuci : nom du bateau de Pafou.

Dikélédi : jeune Naine, fille de Doumyo et Mvoulou. Née dans la forêt de Nsaï, à la suite d'une farce de Pookah.

Diko : Naine de la tribu des Kikongos, née sur Sondja. Amoureuse de Jaro.

Do: Nain Kikongo, époux de Macény, père de Mfuru. Devenu WaNdo à la mort de WaNgolo.

Dofi: Nain de la tribu des Lisimbahs, amoureux d'Adjo.

Doumbénény: Nain de la tribu des Gnahorés.

Doumyo: Naine, épouse de Mvoulou, mère de Yédo, Léké et Dikélédi.

Dryades: jeunes filles de la forêt de Nsaï, dont la vie est reliée à un arbre, le plus souvent un chêne.

Édé: Nain de la tribu des Gnahorés. Cofondateur du *Chemin des rebelles nostalgiques*.

Étibako: Nain, futur grand prêtre des Gnahorés, appelé à succéder à WaNkoké.

Éyango: Nain de la tribu des Gnahorés.

Faïmano: domaine sous-marin des Sirènes, entouré par l'archipel du même nom.

Falafel: pirate floup.

Falop: pirate floup. Père de Trompe et Pilaf.

Fé: Nain de la tribu des Gnahorés, ami de Bélimbé.

Fidagmé: Nain, compagnon d'Awah.

Fisc: Floup, pirate sur le *Sibélius*, réputé pour son avidité en matière de butin.

Flétan: île floupe.

Flopi : Floup, capitaine du *Sibélius*.

Floreio : aspect artistique de l'ensemble de la florinette, à travers la légèreté du corps, la fluidité des déplacements, la grâce des mouvements.

Florinette : art martial floup, aux apparences de danse, reposant sur l'utilisation des jambes et des pieds au lieu des mains.

Floup : êtres de taille inférieure aux Nains, devenus pirates et ennemis des Hommes qui avaient voulu les asservir.

Flup : pirate floup. S'est emparé de la *Bête-au-Vent* avec Flopi et Pafou.

Foutibon : nom donné à Gilliatt lorsqu'il était marin à bord de l'*Amadeus*.

Gaïg : fille de Heïa et de Gilliatt. Appelée **Wolongo** par les Nains en baalââ ou **ToneNili** par les Licornes, en tawiskara. Les deux noms signifient *Fille de l'eau*. **Itia** pour les Sirènes.

Ganelon : Homme, responsable de l'exploitation de la mine de Sondja.

Gargamel : Floupe résidant à Silure, passionnée de jardinage.

Garin : homme qui a recueilli Gaïg avec Jéhanne.

Gemme de Maza : une des trois Terres singulières. Signifie *eau* en Baalââ.

Gilliatt : Homme sauvé par Heïa. Père de Gaïg. Marin à bord de l'*Amadeus*, sous le nom de Foutibon.

Ginga : pas de base dans la florinette qui consiste à se précipiter rapidement sur l'adversaire comme si on allait attaquer pour se retirer aussitôt en reculant.

Giton : Homme, factotum de Ganelon.

Gnahoré : Nain, un des cinq enfants de Mama Mandombé, à l'origine d'une des cinq grandes familles de Nains.
Emblème : le cône, représenté à plat par un cercle surmonté d'un triangle.

Gnas : surnom péjoratif donné aux Gnahorés.

Golpes : façon d'asséner les coups dans la florinette.

Gombo : Naine, Kikongo. Amoureuse de Kikuyu.

Gotoré : Nain, ami de Mukutu.

Gouffre-sans-retour : gouffre aux parois creusées de multiples excavations servant de prison aux Hommes.

Guguletu (marais de) : situés au nord de Shango.

Guibert : mousse à bord de la *Vive-Aldie*.

Heïa : Sirène de la Lignée sacrée. Fille de Vaïmana l'Ancienne, mère de Gaïg.

Hommes : êtres humains, de grande taille, peuplant la surface de la Terre.

Ihou : Troll habitant les profondeurs de la terre, se nourrissant de pierres la plupart du temps, mais néanmoins friand de Nains.

Iolani : Sirène mâle de la Lignée sacrée.

Itia : nom donné à Gaïg par sa mère, Heïa. Signifie la *Petite-fille-messagère-blanche*.

Jama : îlot cachant l'entrée du détroit de Tuatini, au sud.

Jaro : Nain Lisimbah, amoureux de Diko.

Jéhanne : femme qui a recueilli Gaïg avec Garin.

Kabongolo : Nain de la tribu des Kikongos. Amoureux de Tchitala.

Kalenda : Naine, amie de Gilliatt.

Kambu : Nain de la tribu des Gnahorés.

Keyah : Naine de la tribu des Lisimbahs. Sœur jumelle d'Afo. Amie de Fé.

Kikongo : Nain, un des cinq enfants de Mama Mandombé, à l'origine d'une des cinq grandes familles de Nains. Les Kikongos sont surnommés les Nains des sables.
Emblème : la pyramide, représentée à plat par une étoile à quatre branches.

Kikuyu : Nain, Lisimbah, amoureux de Gombo.

Kodjo : jeune Naine de la famille des Kikongos.

Koulibaly (collines de) : région où se sont réfugiés les Gnahorés lors du Premier Exode.

Léké : jeune Nain, fils de Doumyo et Mvoulou, frère de Yédo et Dikélédi.

Lendo-Lendo : galerie abandonnée, près des collines de Koulibaly.

Licornes : créatures vivant dans la forêt de Nsaï, semblables à des chevaux portant une corne unique au milieu du front. Cette corne, torsadée chez les femelles, a la propriété d'absorber les poisons.

Lisimbah : Nain, un des cinq enfants de Mama Mandombé, à l'origine d'une des cinq grandes familles de Nains. Emblème : le cube, représenté à plat par un carré.

Loki : Pookah.

Lumbalah : Nain de la tribu des Gnahorés. Cofondateur du *Chemin des rebelles nostalgiques*.

Macény : Naine, mère de Mfuru, épouse de Do

Maïalen : Salamandar, mère de Txabi.

Mama Mandombé : la Déesse magnifique, mère de tous les Nains à travers ses cinq enfants, (Gnahoré, Kikongo, Lisimbah, Pongwa, Affé) aussi surnommée la Reine des Nains par Gaïg

Matilah : Naine, mère de Bandélé, mère adoptive de Nihassah.

Mfuru : Nain. Son nom signifie *la Tortue* en baalââ. Ami d'AtaEnsic.

Mongo : Nain, chef de la tribu des Affés.

Moribond : Homme, gardien devant l'entrée principale des cavernes de Koulibaly.

Mossi : Nain, fils aîné d'Abomé, chef de la tribu des Gnahorés.

Mukutu : Nain, chef de la tribu des Lisimbahs. Père de Nihassah.

Mvoulou : Nain, époux de Doumyo, père de Yédo, Léké et Dikélédi.

Nains : êtres humains caractérisés par leur petite taille et leur habitat cavernicole.

Nains des sables : surnom des Kikongos.

Nato : anse de Faïmano.

N'Dé (pays de) : pays d'origine de Gaïg. Ewe-Lani pour les Sirènes.

Ndomé : Nain de la tribu des Gnahorés.

Nihassah ou **Zoclette** : Naine Lisimbah, amie de Gaïg. Fille de Mukutu et de Batuuli. Nihassah signifie *Princesse Noire* en baalââ.

Nsaï (forêt de) : forêt où vivent les Dryades et les Licornes.

Nyanga : Minerai sacré. Signifie *soleil* en baalââ.

Okan (mer d') : mer baignant les côtes orientales du pays de N'Dé.

Oko (monts d') : les Nains de la tribu des Lisimbahs y ont trouvé refuge après le Premier Exode.

Orfie : île méridionale, considérée comme mythique par les Hommes qui l'appellent Chimère.

Otahi : la Première Sirène. Aïeule de Gaïg. Équivalent de Yémanjah chez les Nains et de Yolkaï Estan chez les Licornes.

Pafou : Floup, capitaine du *Debuci*.

Patxi : Salamandar.

Pavlov : Floup, naufragé sur Orfie pendant une dizaine d'années.

Pilaf : jeune pirate floup. Fils de Falop et frère jumeau de Trompe, enlevé par les Hommes à l'âge de cinq ans. Capitaine de la *Bella-Bartoque*.

Plie : île floupe.

Plifo : pirate floup, cuisinier sur le *Sibélius*.

Plofi : pirate floup, grand raconteur d'histoires.

Poemoana : la *Perle de l'océan*, ou la *Roche-qui-enfante-les-filles*. Le Nyanga quand il est sous forme de perle.

Pongwa : Nain, un des cinq enfants de Mama Mandombé, à l'origine d'une des cinq grandes familles de Nains.
Emblème : l'œuf représenté à plat par une ellipse avec un cercle à l'intérieur.
Pookah : lutin des bois, plaisantin et farceur.
Premier Exode : période durant laquelle les Nains, à cause du volcanisme, quittent les montagnes de Sangoulé pour les monts d'Oko.
Pylore : capitaine de l'*Amadeus.*

Rahiti : la plus petite des îles de Faïmano, enserrant la mer intérieure au sud et à l'est.
Roda : figure de la florinette où les combattants s'entraînent au milieu d'un cercle formé par leurs compagnons qui chantent en tapant dans les mains.
Romule : Homme, marin à bord de la *Vive-Aldie.*

Salamandar : créature amphibie peuplant les souterrains. Les Salamandars sont réputés pour leur intelligence fine et aiguë.
Sangoulé : chaîne de montagnes. Pays d'origine des Nains, abandonné pour les monts d'Oko lors du Premier Exode, à cause de l'activité volcanique qui s'y est développée.
Sawyl : langue des Dryades.

Sha Bin : le *Nain-à-la-peau-claire*. Toujours présent lors des apparitions de Mama Mandombé. C'est lui qui émet la prophétie.
Shango : village de la côte, proche des collines de Koulibaly.
Shitaké : Murène. Amie de Vaïmana l'Ancienne. Surnommée la *Murène étoilée*.
Sialé : Nain de la tribu des Gnahorés. Cofondateur du *Chemin des rebelles nostalgiques*.
Sibélius : bateau de Flopi.
Silure : île floupe.
Sondja : île sur laquelle les Kikongos ont été maintenus prisonniers par les Hommes. Son nom signifie *Terre-du-désespoir-absolu*.
Spongia Magna : créature sous-marine, apparentée à une éponge, qui a maintenu Gaïg prisonnière.

Tamateva : Sirène femelle. Mère de Vaïmana l'Ancienne et de Manutahi. Grand-mère d'Heïa et de Iolani.
Tawiskara : langue des Licornes.
Tchitala : Naine Affé, amoureuse de Kabongolo.
Thioro : Naine, chef de la tribu des Kikongos. Amoureuse de Toriki.
Tibulle : Homme, capitaine de la *Vive-Aldie*.
Tilapia : Floup, un des trois capitaines de la *Bête-au-Vent*.

Titini : détroit dans les hauts-fonds à l'est de Faïmano, permettant de pénétrer dans la mer intérieure.

Tiyoko : Nain de la tribu des Kikongos. Amoureux de Bayé.

Toriki : Nain, ami de Bandélé. Amoureux de Thioro.

Trini : îlot de l'archipel de Faïmano.

Trompe : pirate floup, de sexe féminin. Fille de Falop et sœur de Pilaf.

TsohaNoaï : Reine des Licornes. Signifie *Soleil*, en tawiskara.

Tuatini : détroit dans les hauts-fonds au sud de Faïmano, permettant de pénétrer dans la mer intérieure.

Txabi : bébé salamandar confié à Gaïg par sa mère, Maïalen.

Vaïmana : Sirène très âgée, surnommée *Vaïmana l'Ancienne*. Grand-mère de Gaïg. Sœur de Manutahi et fille de Tamateva.

Vaïmiti : nom d'Olokun, chez les Sirènes.

Vive-Aldie : bateau transportant les Gnahorés prisonniers, sous le commandement de Tibulle, le capitaine.

Wakan Tanka : Roi des Licornes. Signifie *Dieu Suprême*, en tawiskara.

Walig : chêne allié à Winifrid, dans la forêt de Nsaï.

WaNdo : Nain. Époux de Macény, père de Mfuru. S'appelait Do avant de devenir grand prêtre des Kikongos à la mort de WaNgolo.

WaNguira : Nain, grand prêtre des Lisimbahs.

WaNkoké : Nain, grand prêtre des Gnahorés.

Wassango-Kilolo (pitons de) : région où se sont réfugiés les Pongwas et les Affés lors du Premier Exode.

Winifrid : Dryade, alliée du chêne Walig.

Yédo : jeune Nain, fils de Doumyo et Mvoulou, frère de Léké et Dikélédi.

Yémanjah : signifie, en baalââ, *Mère-dont-les-enfants-sont-des-poissons*. Fille de Mama Mandombé, qui est l'esprit de la Terre, et de son frère, Olokun, qui est l'Esprit de l'Eau. Première Sirène. Aïeule de Gaïg.

Yoruba : rivière qui traverse les montagnes de Sangoulé du nord au sud.

Zécler : Homme de main de Ganelon.

TABLE DES MATIÈRES

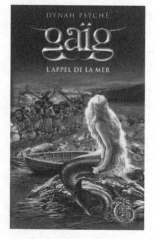